望月衣塑子
五百旗頭幸男

自壊するメディア

講談社＋α新書

自壊するメディア／目次

第一章　安倍・菅政権の罪とメディアの使命　望月衣塑子

第二章　私的ドキュメンタリー論　五百旗頭幸男

第三章　権力を監視するメディア再生のために

第四章 自壊メディアの現実を超えて、新たな地平へ

第一章

安倍・菅政権の罪とメディアの使命

望月衣塑子

『新聞記者』は内調の闇を暴いた

二〇一九年、私の半生を書いた新書『新聞記者』を原案にした映画『新聞記者』が制作されました。藤井道人さんが監督し、松坂桃李さんと韓国の女優のシム・ウンギョン（심은경）さんがダブル主演した作品です。いまでは映画館ではほとんど上映されていませんが、NetflixやAmazonなどでネット視聴が可能です。

政治にはあまり関わりたくない、少し面倒だと感じているような、いわゆる無党派層や若い方たちが、政治や時代状況に少しでも関心を持つきっかけになるような映画を作りたいという、映画製作「スターサンズ」の河村光庸社長の考えから、私の新書を原案にしたフィクションという形式でこの映画が製作されることになりました。

しかもその内容は、森友・加計問題や、伊藤詩織さんへの性的暴行問題、すなわち元ＴＢＳ記者・山口敬之氏への逮捕状執行停止といった、安倍政権のなかで起きた権力の私物化をめぐるさまざまな事象をモチーフとしています。

安倍政権のメディア支配が徹底するなかで、フィクションといえども、政権批判的な映画をつくること自体が難しいのではないかとも言われていました。実際にいくつかの製作会社から「この作品を引き受けてしまうと、二度と映画がつくれなくなるかもしれない」と断られることもあったようです。

しかし、松坂桃李さんやシム・ウンギョンさんといった錚々たる俳優陣の方たちが進んで参加してくださり、お蔭さまで二〇二〇年の日本アカデミー賞の最優秀作品賞、最優秀主演男優賞、最優秀主演女優賞の三冠を獲得し、好評を得ることができました。

この映画は新聞記者の実情を描くというよりも、当時の安倍政権を裏で支えていると言われ、いまでは菅政権を裏で支えていると言われている内閣情報調査室、略称「内調」という組織の闇を、シム・ウンギョンさん演じる東都新聞の記者が暴いていくことに主眼が置かれています。そして、この内調という組織に外務官僚として出向しながら、いったい自分は官僚として何のために、誰のために仕事をしているのかという疑問を抱きつつ、自分自身の良心の呵責に苦しむ役を松坂さんが演じています。

内調という組織の一昨年までのトップは、北村滋氏という警察庁の公安のキャリア官僚出身の人でした。内調という組織は普段何をしているのかというと、いわゆる政府や官邸に批判的な市民とか市民団体、また私のようなジャーナリスト、メディア、与党、野党内の官僚や政治家、そして学術会議をはじめ政府に批判的な有識者や研究者、そういった人たちの日々の発言や活動状況をこと細かにチェックするのです。こういう組織のトップが北村滋氏でした。

安倍政権の異様さ、菅首相の危険性

この映画が上映されたのは二〇一九年の六月末からでしたが、その約一ヵ月後の八月、新たな霞が関の人事異動で、内調トップだった北村滋氏はNSS（国家安全保障局）のトップに栄転しました。これは霞が関の官僚の間でもかなりの驚きをもって受け止められました。

それまで、初代局長として国家安全保障局を率いていたのは、外務官僚出身の谷内正太郎氏であり、谷内氏が自身の後任には外務省の秋葉剛男事務次官を強く推薦していたからです。これが当時の安倍首相の官邸の意向で蹴られ、内調トップだった警察公安官僚出身の北村氏がこのポストに就いたのです。

つまりこの人事は、NSSがこれまで行っていたアメリカ、韓国、北朝鮮等々との外交政策を強化するにとどまらず、政府に批判的な国内の市民や市民団体、メディアやジャーナリスト、官僚、有識者、研究者たちの活動状況に対しても、より厳しく監視していくぞという、当時の安倍官邸の強い意識の表れであるということが推測されました。

この内調の組織の暗部に踏み込もうとしたのが映画『新聞記者』でした。じつはフィクションとしてつくられた『新聞記者』のあとに、ノンフィクション『i―新聞記者ドキュメント』が製作されています。森達也監督が約一〇ヵ月、私を密着取材、そしてインタビューし、それを編集した作品です。

当時の菅官房長官と私の会見での応酬などを取り上げながら、森監督という映像作家から見て、新聞記者とはどうあるべきか、記者クラブメディアとはいったい何なのか、価値観が激しく変わるなかで市民である私たち一人一人はどのように社会や政治に向き合っていくべきなのかを問う作品に仕上がっていると思います。

この作品も、NetflixやAmazonなどでご覧いただけると、安倍政権の異様なあり方、そして官房長官としてその長期政権を支え、いまでは政権の座に就いている菅氏の危険性について、具体的に考えていただくことができるのではないかと思います。

「総理の長男」と総務省接待スキャンダル

長く続いた安倍内閣を官房長官として支えてきた菅氏は、安倍氏が持ち込んだネポチズム（縁故主義）を見事に引き継ぎました。二〇一五年に内閣人事局が設立されて以来、高級官僚の人事は、かつてのような霞が関の各省庁のトップではなく、内閣人事局、官邸に握られてしまいました。それゆえに官僚たちは、官房長官や首相にひれ伏し、黒いものも白いと言うことを強いられるようになったのです。

フリーランスライターの畠山理仁氏の取材によると、菅氏の長男は大学卒業後、バンドをやめて「プラプラしていた」らしいのですが、このままではいけないということで、二〇〇六年当時総務大臣だった菅さんの指名で秘書官に抜擢されています。総務省の役人に取材し、当時の状況を振り返ってもらうと、省内ではこの人事は有名だったそうです。

菅氏はもともと世襲制の二世、三世を認めないと言っていたはずですが、長男に跡を継がせるのかという予想まで立てられたようです。しかし、秘書官就任から約二年後には、菅氏を支援している「東北新社」の創設者である初代社長に非常に気に入られ、同社に入社したとのことです。文春報道を機に更迭され、いまでは趣味・エンタメコミュニティ統括部長を辞任してはいますが、子会社の囲碁将棋チャンネルの取締役にまで就任していました。

この彼が、二〇二〇年の一〇月から一二月の約三ヵ月間に、錚々たる総務省幹部の方たちを料亭、割烹、寿司屋等々で接待し、手土産やタクシー券を渡していたということが『週刊文春』で報じられ、事務次官トップへの就任が確実視されていた谷脇康彦総務審議官、吉田眞人総務審議官、さらに前内閣広報官である山田真貴子氏の後任者であった秋本芳徳情報流通行政局長の名前が報じられました。

業界を取材すると、そもそもこのようなメンバーに会うこと自体がほとんど不可能であるそうです。総務省の担当の窓口に行くと名刺入れが入り口に置いてあり、ほとんどの人は訪問しても会うことはできず、名刺を名刺入れに置いて帰っていくようになっています。それが普通の業者への一般的な対応なのです。しかし、このときは二宮新社長の就任祝いも含め、東北新社が総務省の幹部にさまざまな接待を行っていたのです。

職務権限にからむ忖度と配慮

秋本氏は今回の報道で批判されてはいますが、じつは多くの総務官僚を知る記者に聞くと、彼は結構まともなほうであり、それなりに節度のある官僚だったということです。国会答弁での発言が事実であるならば、秋本氏は、二〇一六年の七月以降、だいたい年に一回、東北新社の方との会食には関わっていたようで、ほかの放送関係者との会食はいっさいなかったと言っています。やはり断りたくても断れなかったということなのでしょうか。

かつて総務大臣だった菅氏が官房長官となり、そしていまや首相になっています。その菅氏の意向があるかどうかはともかく、首相の息子が勤めている東北新社で、しかも誘いの窓口が息子であったのですから、断るのは難しかった、否、誘いに乗らなければ官僚としての出世が厳しいと思ったのでしょう。

東北新社の創業者植村伴次郎氏は、菅首相と同じ秋田県の出身で菅氏との昵懇の仲は有名でした。収支報告書をみると、六年間で五〇〇〇万円の献金を、菅氏が代表を務める自民党神奈川県第二選挙区支部に行っています。菅氏の息子もいる会社に対して総務省の幹部陣は自分たちの出世のためにも軽く扱うことはできなかったのでしょう。

結果、二〇一六〜二〇年までの五年で三九件の会食が判明しましたが、二月の総務省による内部の調査結果では一三人に対し、延べ三九件の会食が確認され、一一人が減給などの処分を受けました。山田真貴子内閣広報官も九九年、総務審議官当時に、東北新社の二宮清隆新社長の就任祝いとして約七万四〇〇〇円という、非常に高い料理をご馳走になっていたことが判明、その後、NTTからの高額な接待も週刊誌報道で公になりそうになるなかで、辞任に追い込まれていきます。

いろいろなことが次々起こるので忘れてしまいがちですが、職務権限との絡みで私が非常に気になっているのは、山田氏が秋本氏と同じ情報流通行政局長だった二〇一八年当時において、CS放送業務で認可を受けたのは一二社、一六番組あり、このうち菅正剛氏が取締役をしている東北新社の子会社の番組だけが、ハイビジョン未対応のまま認定・許可を受けていると報じられている点です。この時期になぜ未対応のままで特定の許可を受けられたのでしょうか。接待を受けていた時期に局長権限で何らかの指示などはなかったのかなど、忖度や配慮が疑われるところです。

二月の社内調査では、東北新社から三九件の接待を受けていて、このうち菅正剛氏も出席していたのが二一件もありました。これは、たんなる「接待要員」という領域を超えていると思います。とくに正剛氏が同席していた場は、出世コースにのり、電波行政と密接に絡む郵政系の総務官僚の幹部が軒並み同席していました。きっと彼らもまずいこととわかっていながら、やはり菅氏との関係を重視し、自らが官僚の世界で出世し、やりたい総務行政を遂行していくうえでも接待を受けざるをえなかったという面もあったのかと思います。菅氏は何せ、人事を動かすことで政治権力を掌握してきた人ですからね。

その後、菅首相の長男らによる接待疑惑がでてきた延長で、二〇パーセントの外資規制超えも判明してしまい、東北新社は「東北新社メディアサービス（東京）」が運営する洋画専門のBSチャンネル「ザ・シネマ4K」の認定が取り消されることになり、対象契約者数七〇〇〇人に影響が出ました。

さらに元検事らが加わった第三者調査委員会の調査により、六月四日には、NTTグループ各社と東北新社から、新たに三二人の職員が七八件の飲食接待などを受けていたことが判明。三二人を同日付で処分し、九人が懲戒処分、二三人は訓告などを受けました。調査では、放送・通信行政に携わる課長級以上の幹部を対象に約一七〇人の職員からのべ約一五〇〇件の申告があり、違反の有無が調べられたそうです。

結果として他の業者からの接待がほとんどないなかで、総務省とNTTグループ、東北新社がまさに身内のごとく一体化していたことを如実に示す事件だったと思います。

六月四日に総務省の第三者委員会が公表した報告書は、四年前に当時の担当課長らが違反の事実を認識していた可能性が高いとし「行政が歪められたとの指摘を免れない」と厳しく批判しました。担当課長らは、任意の聴取に否認しているとのことでしたが、もし、東北新社の外資規制を認識していながら、当時の課長らが、法律上行うべき認定取り消しを行わず、子会社による事業承継の申請を追認していたならば、これは完全に法律違反が問われる問題です。否認している担当課長は、東京ドームでのプロ野球観戦チケットを受け取っていたことも確認されており、業者との癒着の延長で東北新社の外資規制法違反が見逃された可能性は高いように思います。本来は、東京地検特捜部などが捜査をすべき案件ではないかという気がします。

「#飲み会を断らない女性」

安倍内閣のときに初の女性首相秘書官に就任し、菅内閣になると今度は女性初の内閣広報官に抜擢されるなど、総務省出身の山田真貴子氏は非常に注目を浴びていた方です。私の母校、東京学芸大学附属高校のOGでもあり、精神科医の香山リカさんや国民民主党の山尾志桜里議員とともに有名な卒業生OGのお一人でした。

しかし、驚いたのは接待を受けていたのは東北新社からだけではなく、先ほども少し触れましたがNTTの澤田社長らからの再三にわたる高額接待にも応じていて、一本一一万円から一五万円ぐらいの高級ワインとともにコース料理に舌鼓を打っていたと報じられました。金額だけでなく、メニューの中身まで調べ上げるとは、『週刊文春』恐るべしと言わなければなりません。

こうした批判の最中にあっても菅首相は「やはり女性の広報官として期待しているので、そのまま専念してほしい」などとコメントしていましたが、病院で精神科医の診察を受け、彼女自身の強い希望もあったのか、二週間の要入院となり、杉田和博内閣人事局長に辞意を伝えるに至りました。

この事件を契機に、山田氏に関する動画が掘り起こされていましたが、驚いたのは、女性の活躍に関するインタビューのなかで「イベントやプロジェクトに誘われたら絶対に断らない。飲み会も断らない。出会うチャンスを愚直に広げてほしい」と発言していたことです。それ以来「#飲み会を断らない女」といった具合に、彼女はSNSでハッシュタグまでつけられることになってしまいました。

たしかに官僚としては非常に優秀な面があったのだろうとは思いますが、菅氏に目をかけられることで「菅ファミリー」として出世街道をひた走ってきた方だったようです。官僚として出世する、チャンスをモノにしていくためには飲み会を断らないという姿勢の延長線上で、東北新社、NTTから、公務員にあるまじきあれほど高額な接待を受けてしまっていたのではないでしょうか。残念なことです。

山田氏の辞任を受けて起用されたのが小野日子氏でした。この人事は外務副報道官からの異例の出世ということですが、新たな女性の内閣広報官に注目が集まりました。彼女になってから初の首相会見では、仕切りは非常に上手いと思いましたし、かつてよりも指名する記者の数が増えています。

内閣の記者クラブに入っている記者だけではなく、差別されているのではないかという声が非常に強かったフリーランスの方たちに対しても当てるようにはなっており、一時間弱で二〇人ぐらいの記者が質問していたこともありました。安倍前政権時はこれまで五人から七人と、当てる記者の数がそもそもかなり制限されていたことに批判も多く、少しはやり方を変えるようになったのかも知れません。

しかしながら、引っ掛かったのは、前任の山田氏に続き、小野氏が広報官に就任して以来、首相会見が九回行われるまでは、九回連続、日本テレビと東京新聞の二社の記者だけは一回も指名されなかったことです。日本テレビは手を挙げていないのではないかという噂もありますが、東京新聞の官邸キャップに聞くと「自分は一所懸命手を挙げているのだけど、とにかく指してくれない」と言っていました。

「東京新聞は指すなよ」ということが広報官にでも引き継がれているのか、一九の幹事社業務を行う社のなかで九回で一度も指されないのはこの二社しかなかったのです。その後、この点について東京新聞の政治部が批判する記事を出し、その影響もあったのか、一〇回目にようやくはじめて東京新聞も指名されるようになりました。

その後、コロナ禍のなかで会見は続いていますが、「質問は一問までに御願いいたします」とか「お席からの質問はお控えください」などの質問制限を繰り返す姿勢は相変わらずです。それと七月二二日のぶら下がり質疑でも、質問を重ねる記者に菅氏が「ルールを守ってください」と突然、ぶち切れし、菅氏に促されて小野氏が「名前をお名乗りください」と言わされているシーンがテレビで流れました。

そもそも菅氏はまともに記者の質問に答えていないため「聞いていることは●●なんですが？」と、記者が聞き直しているようなときでも「追加の質問はお控えください」などと小野氏は言っており、結局、質疑になっているとはとても言えない会見の仕切りになってきました。

小野氏は、菅氏にいろいろ言われているのもあり、会見らしい会見をする気はなく、政府に都合のいい、できるだけ菅氏を〝立てた〟広報をしたいだけなのだということが、徐々にわかってきました。

安倍前政権のときから続く、「質問には答えたくない」「できるだけ首相が揚げ足を取られないようにしたい」ということばかりを広報官の職務として遂行しようとしているように見えます。真面目そうな方ですが、菅政権の下で働かされる限り、そういう風にしか広報官としても振る舞えないのかもしれません。

そして、それは菅氏側だけでなく、**歌舞伎のような台本会見**を許している私たちメディアの側の責任も大きいと思います。

七月八日に行われた首相会見では、日本テレビの記者が手も挙げずにスマホをいじっていただけにも関わらず、なぜか、小野氏に指名され、用意していたような答弁を菅氏がひたすら読み上げるという、滑稽な**八百長会見**の様子がネット上で話題になっていました。いまは首相会見の質疑のすべてが画像で記録されているぶん、市民のチェックが容赦なく行われますから、手を挙げてなかった記者も、用意していた回答を読み上げるだけの菅氏もどちらも滑稽に見えてしまいます。日テレの記者さんは、もしかすると、「このような八百長会見はやってられるか」と思ったがゆえに、あえて、事前に質問を投げていても手を挙げていなかったのかもしれませんが。

内閣人事局と縁故主義の弊害

その後も高額接待に関して「文春砲」は鳴り響きます。

山田氏だけにとどまらず、武田良太総務大臣が澤田NTT社長と会食をしていたことがわかりました。武田氏は報道が出る前までは、「疑念を持たれるような会食はしていない」と弁明していましたが、そもそも疑念を招くかどうかは見ている国民側が決めることであり、ご本人が言うべきことではありません。結果としてJR東海の葛西敬之会長ともども、武田氏は澤田氏と会っていたことがわかってきました。

これが問題なのは、NTTの澤田氏が、NTTグループ内の稼ぎ頭であったNTTドコモの完全子会社化のために四・二兆円を掛けてTOB（株式公開買い付け）を実施しているさなかで総務省トップと会食していたことです。武田氏は「ビール二〜三杯で一万円払った」と言い訳を繰り返していますが、はたして情報通信行政のトップとしての自覚はあるのでしょうか。

この会食の六日後には、澤田氏念願のドコモの完全子会社化が成功しています。じつはこの会食をした二〇二〇年一一月にはKDDIなど電気通信事業者二八社が連名で、今回のドコモの完全子会社化は公正な競争環境を阻害する懸念があるとする意見書を政府に提出しているタイミングであり、こうした状況下で総務大臣が会食の席に参加することなど、通常の感覚では考えられないことです。

その後、赤旗のスクープが続きます。今度は豊栄学園という学校法人が、二〇一五〜一九年に、文科省の藤原誠事務次官、それから、当時の亀岡偉民文科副大臣等々を繰り返し接待していたという会食疑惑です。具体的には、学園の清水豊理事長らが亀岡氏らと都内と宮崎県内で一四回の会食を行い、学園側負担は九五万円、都内の高級焼き肉店などで一人あたり約一万〜二万八〇〇〇円を使っていたとされています。その後、二〇二〇年には学園に二四〇〇万円の施設整備補助金の支給が決定されており、この会食と補助金支給との関係については、文科省のなかで調査が進められましたが、四月一六日、会食は供応接待にはあたらず、国家公務員倫理法の違反はない、とする調査結果を公表しました。

発表では、藤原氏は官房長だった二〇一五年一一月と二〇一七年一一月、赤坂の焼き肉店で、豊栄学園の清水理事長と亀岡議員と二回飲食。藤原氏は亀岡議員に呼ばれて途中から参加し、「飲食費用は一万円を超えず、費用は亀岡議員が負担したと認められる」ということでした。豊栄学園と藤原氏は「利害関係者に該当する」とはしつつ、「供応接待にはあたらず国家公務員倫理法・倫理規程に違反している事実はない」とし、萩生田光一文科相は、記者会見で「行政が歪められた事実はない」と述べ、これによる処分も行われませんでした。

処分には到らなかったものの、安倍政権では、このようなことが常態化していたようで、内閣人事局が発足してからは首相や首相を取り巻く官邸官僚人たちが特定の業者の接待に応じるということが散見されます。こういった「縁故主義」の弊害は他の省庁でもまだまだ水面下に多々存在して、顕在化したのは氷山の一角ではないかと思っています。

五輪強行とコロナ対応の遅れ

オリンピック問題はどうでしょうか。最終的に七月に入って感染拡大にブレーキがかからないなかで、ようやく菅氏が一都三県での無観客開催を表明しましたが、当初は、政府は二万人の観客を入れて開催するとも言っており、中止というシナリオは端からなかったようにも見えました。

二〇二〇年は夏に開催する予定を控えたところで、横浜に停泊していたダイヤモンド・プリンセス号のなかでCOVID-19の感染者が出ているというニュースが二月に報じられ、欧米、中国でもコロナ感染拡大と感染死者の急増というニュースが日々流れていましたが、安倍前首相は当時、「一〇〇パーセント完全なかたちでオリンピックを開催する」と再三にわたって表明していました。

その後、感染が拡大するなかで、記者会見の参加者制限がかかり、各社政治部から一人だけしか入場できなくなり、私は官房長官会見、首相会見にはまったく参加できなくなってしまいました。しかし、三月一七日の段階ではまだ会見に参加することができたので、菅官房長官に「オリンピック開催までに、国内で確実に収束するという見通しあるのでしょうか。専門家会議などの見通しを含め、科学的根拠はあるのでしょうか」と質問したのですが、「完全なかたちで開催する。先進主要国G7のみなさんから理解は得ています」と回答するので、「では、なんらかの科学的根拠はあるのでしょうか」と重ねて質問したのに対して、菅氏は「いままですべて、専門家の考え方を参考に決定しています」と言い切ったのです。

しかしながら、有識者懇談会のメンバーに東京新聞の他の若手記者が取材すると、感染は拡大していくだろうと予測しているというのですから、本当に専門家の考え方を参考にしていたのか、きわめて疑わしいわけです。

当時の有識者懇談会のやりとりを確認するため、議事録を開示するよう要求したのですが、概要程度のものしか出てこない。いつになったら開示するのかと問うと、なんと「一〇年後に出す」との回答です。やはりいまの日本では、公的な話し合いの場で政府が何を言い、これに対して研究者たちが何と言っていたのかという会議の記録はことコロナ禍においてはまったく開示される気配すらありません。歴史の検証を受けるのが怖いのでしょうか。

二〇二〇年三月一七日には強気な発言をしていた菅氏ですが、五日後の三月二二日になると少し流れが変わりました。ＩＯＣが電話会議方式で緊急理事会を開催し、オリンピックの開催については、四週間以内に結論を出すこととなったからです。一部の国の選手団から「この状況での開催はきわめて難しいのではないか。やめるべきではないのか」という抗議がＩＯＣに寄せられていたと聞きました。

機を見るに敏な小池都知事

このときに機を見るに敏という感じで動いたのが都知事の小池百合子氏でした。三月二二日の電話での緊急理事会の報道が流れた翌日の二三日、会見の場でフリップをかざしながら、「今後の推移によりましては、都市の封鎖、いわゆるロックダウンなど、強力な措置をとらざるを得ない状況が出てくる可能性があります」と発言したのでした。

このとき「ロックダウン」という言葉がはじめて小池氏の言葉で使われました。それまで小池氏は、官邸と歩調を合わせてオリンピックに臨む姿勢でしたが、ＩＯＣ側の動きの変化を見てスタンスを急変させたのであり、この発言には官邸の安倍氏、菅氏が激怒したとも聞きました。というのも、感染が徐々に国内で広がっているとはいえ、欧米に比べて感染者数も死者数も少ない日本では、イギリスのように交通機関を完全に止めるような都市の閉鎖、いわゆる「ロックダウン」は、官邸の危機管理の担当者さえ、まったく想定していなかったそうです。中止の方向性が見えてきた途端に「ロックダウン」などという強い言葉を発信した小池氏のパフォーマンスとも言える発言に、菅氏も安倍氏も心底怒りを覚えたのではないでしょうか。

翌二四日の夜九時、ぶら下がりの懇談の場で安倍氏は、「一年程度の延期をIOCに表明し、バッハ会長からも私の意向に一〇〇パーセント同意をしていただきました」と発言しました。あたかも自分がリーダーシップを発揮して中止を表明したような発表ですが、取材によればIOC側からいろいろ突き上げられ、さすがにこの状況では今回は見送るべきだという流れになっていたと聞きます。同時にこのとき、一年、ないし二年の延長をIOC側から提示され、一年後という決断を安倍氏がしたと、後に「週刊文春」に報じられました。一年後なら収まっているだろうという甘い見通しだったのでしょう。いまとなっては、最悪のタイミングで、コロナ禍の感染拡大が昨年以上に増え、七月二〇日には都内の感染者数が一八三二人と過去最大になったなかで、まさかの五輪強行開催に突き進む結果となってしまいました。

一年前の都政を振り返ると、小池氏の「小池劇場」でペースは進みました。二〇二〇年三月二五日には、都内の新規感染者はわずか四一人だったのですが、ここでもフリップをかざして「感染爆発重大局面。オーバーシュート」などと言っていました。

一年前からの彼女の行動を見ていると、良くも悪くも小池氏は、本当にパフォーマンスに長けていると思います。決して褒めているのではありませんが、官邸との対立を非常に巧みに演出し、「あ、ここだ。ここが官邸との差を浮き彫りにし、自分の存在を世論にうまくアピールできる、攻めどきだな」というときは、即座に勘が働くのか、ぱっと動いてきます。

森喜朗・前オリパラ組織委会長の「女性の発言は時間がかかる」という発言が飛び出したときも突如、「(その翌週に予定されていた森氏や菅氏との五輪を巡る)四者会談には私、出席参加いたしません」と発表していたりもしました。森前会長を批判しないまでも、森氏の蔑視発言を問題視していることを暗に匂わせるように出席への不参加を表明していました。「さすが、女性の味方、百合子さんは怒っているんだ」と思った人たちも多かったのではないでしょうか。

さらに三月二九日には志村けんさんが新型コロナウイルス感染症によって亡くなります。このときも驚かされましたが、記者から訃報を受けてのコメントを求められたときに、「はい、志村けんさん、大変すばらしい方でございました」、そして「最後にコロナの危険性についてメッセージをみなさんに届けてくださったという功績も大変大きいものがあると思っています」などと、志村さんのコロナ感染死を「功績」と見なして評価するかのようなコメントを出しました。これにはとても違和感がありました。

PCR検査不拡大の責任

感染拡大当初から言われていることは、ＰＣＲ検査の少なさです。当時ははじめての検査の目安、厚労省が全国のかかりつけ医や医療機関に通知を出した「発熱後、三七・五度以上が四日間」という四日間ルールに基づいていました。しかしながら、女優の岡江久美子さんのケースでは、かかりつけ医に相談したら、「まだ二日目なので様子を見ましょう」と言われて自宅待機を強いられ、その間に容体が悪化し、救急搬送の後に亡くなられたということがありました。

こうして「四日待機ルール」に批判が強まり、国会で追及されることになるのですが、当時の加藤厚労大臣は「この四日待機というのは目安であって、基準ではない。我々から見れば誤解です」と答えていました。

目安と基準とはいったい何が違うのか、いまでもまったく理解に苦しむ発言ですが、結果的にこの「四日待機ルール」は見直され、全国の医療機関やかかりつけ医への通知では「四日待機ルール」は削除されています。厚労省の職員を取材すると、新型インフルエンザでの対応で、この「四日待機ルール」が作られ、新型コロナウイルスのケースでの適用について議論がなされたようですが、保健所の対応能力を考えれば、そのまま踏襲しようという結論になったようです。

とにかくＰＣＲ検査が少なすぎるということで東京都医師会の尾﨑治夫会長が会見を開き、「国に何回言ってもセンターの設置やＰＣＲの検査がまったく広がらない。東京都医師会独自でＰＣＲセンターをつくります」といって都内で最大四七ヵ所の設置計画を発表しました。尾﨑氏は相当踏み込んで安倍前政権のＰＣＲ検査対応を批判していました。「政府がＰＣＲ検査数を増やすために財源を投入するとか、本腰を入れる感じがまったくない。もし検査数を増やすのだったら、どこかの駐車場の敷地や空き地を借り上げてテントを設置し、検査できる技術者を配置しなければいけない。そのためには、ある一定の予算投入が起きてしかるべきなのだが、この動きがまったくない。つまるところ、検査数を増やしたくないのではないか」と。

韓国と日本を比較すると、人口規模から見た研究者、検査技術者の数は日本のほうが倍近くいると言われています。しかし、二〇二〇年四月二四日時点での検査総数は韓国が六〇万件であるのに対し、日本はその三分の一にも満たない一四万件でした。約三ヵ月後の七月の時点では一〇〇万人当たりの検査数が世界一五九位でウガンダにも抜かれるという惨憺たる結果でした。韓国は、当初から民間にもＰＣＲ検査の権限をどんどん与えて、無症状者の感染者把握にも力を入れていました。

結果として、二〇二一年七月二〇日の段階で韓国でのコロナ感染死者は二〇六〇人、一方日本は、一万五〇二六人と韓国の七倍強の死者数を出しています。ＰＣＲ検査を拡げず、ＧｏＴｏを半年近くも強行していた菅政権のツケが、見事に死者数に現れていると感じます。

休業補償が行き届かない現状

また、この間の日本の問題点としては、休業補償等がおよそ十分ではないことが挙げられます。イギリスやフランス、とくにドイツと比較しても差が激しく、たとえばドイツの場合は、「緊急事態宣言」の最中は前年同月比の売り上げの最大七五パーセントを、売り上げの規模、店の規模に応じて支給しています。ドイツは、二〇二一年の一月以降は賃料など店舗を維持する経費についても最大九割が支援されるなど、飲食含めた事業者に対し、非常に手厚い支援金を供給しています。

文化・芸術に対する補償という意味でも進んでいたのはやはりドイツでした。メルケル首相は、国民に向けたテレビ演説の冒頭で次のように訴えていました。

「今回のコロナ禍を機に、文化的なイベントがいかに私たちの日常生活に必要不可欠なものであるかということを再認識させられました。この文化・芸術の分野にもしっかりと支援をしていきます」

そしてメルケル首相は、文化・芸術だけでなく、中小企業・零細経営者、フリーランス等を含めて当時でも五〇〇億ユーロ、約六・四兆円の支援を表明しました。ドイツの場合はオンラインで住民登録番号を使って申請すると、約二日後には当面の住居、生活の維持費として六〇万円が振り込まれたそうで、国籍にかかわらずドイツに住んでいるあらゆる住民に対して、住む場所、食べ物をしっかりと支援する給付がおこなわれており、当時、ニュースで知ってここまで違うのかと愕然としたのを覚えています。

なぜ、ドイツは、ここまで大型の財政支出ができるのか。これは諸説言われていますが、ドイツの場合は二〇一九年までの六年間、新規の国債を発行しない均衡財政を維持してきたため、日本の財務省がよく言っているところのプライマリーバランス「均衡財政」を維持できている。だからこそ、有事の際にここまで踏み込んだ大きな財政出動を行う余地があったと聞きます。アベノミクスでおカネを刷りまくり、金融緩和を推し進めていた日本では、ドイツのように有事での大型の財政措置は困難であるとも聞きます。

二〇二〇年四月七日に日本で緊急事態宣言を出した当時、たとえばフリーランスに対する支援金は会社員の半額程度、一日四一〇〇円でしたが、あまりにも少なすぎる。そして何よりも支援が足りないのが映画や演劇、歌舞伎、音楽業界などの芸術分野でした。

これらの団体がいろいろなかたちで文科省や文化庁に支援を求めていました。文化・芸術分野は自粛を強いられてばかりでしたが、ようやく支援がはじまったのが約五ヵ月後の二〇二〇年の七月一日から。それも個人に二〇万円、団体に百五〇万円、個人と団体との共同申請で一五〇〇万円と、申請する団体の規模からすると、決して大きいとは言えない金額で、芝居や演劇などに関わる人たちからは「自分たちには死ねと政府は言いたいのか」という言葉まで聞こえてきました。

能や歌舞伎、演劇等々に携わる人たちは、現在に至るまで本当に困窮な状況に追い込まれています。二〇二一年の一月三日から七日にかけて行われた文化芸術関係者有志が立ち上げた団体が実施した調査では、七割のライブハウスやクラブで音楽関連事業の収入が五〇パーセント以上減少し、三割の俳優や演出家などのアーティストが、将来に希望が持てず「死にたいと思った」と回答したという衝撃的な結果が報告されました。

日本の労働者への支援も足りません。日本は約七割が中小企業労働者と言われていますが、安倍前首相は「雇調金（雇用調整助成金）を使ってください」と繰り返し国会などで訴えていました。この雇調金についても全国からの相談件数が二〇二〇年四月末時点で二三万六〇〇〇件というものすごい規模で寄せられていたのですが、二〇年四月末時点での実際の受給開始決定は相談件数のわずか一パーセントのみでした。

社会保険労務士の方は、東京新聞の取材に「雇調金制度は若干見直しをされたとはいえ、そもそも使い勝手が悪く、現場を知らない官僚が机上で考えた制度だ」と批判しています。しかも特定の社会保険労務士を有償で雇い、何枚もの資料を提出しないと、政府の審査基準をなかなかクリアできないということでした。

こうした雇調金への批判を受け、昨年から今年にかけて、被雇用者である労働者側が国に対して直接休業支援を求められる休業支援金制度というのが創設されました。しかしながら、この通知も労働者の半数ぐらいにしか行き届いていないと国会で問題視されました。制度の通知が進んでいないこともあり、一月末現在でなんと適用が一割だけ。困窮している多くの労働者に給付金の支援がなかなか行き届いていないのが現状です。

菅首相がイライラして「尾身を黙らせろ！」

一方、アベノマスクでこけた安倍前首相を尻目に、「コロナ禍対策よりまず経済を回すんだ」と力を入れて二階俊博幹事長と当時官房長官だった菅氏が取り組んだのが、「Ｇｏｔｏキャンペーン」です。本来は、コロナ感染の拡大が収束したら実施するという条件が安倍前政権では閣議決定で決められていました。にもかかわらず、二〇二〇年七月一六日に都内の感染者数が二八〇人台に上り、第二波が近づいていると言われていた直後の七月二二日、当初の予定よりも前倒しで「Ｇｏ　Ｔｏ」実施に踏み切り、約一・七兆円の税金が投入されることになりました。

全国で見ると感染が一ケタ台、もしくはゼロという県もあるなかで、「Ｇｏ Ｔｏ」に対して難色を示す知事も多く、実際に「県内の感染拡大の可能性ぬぐえず」（伊原木岡山県知事）、「豪雨災害の復旧途中、時期尚早だ」（湯崎広島県知事）、「都の来県好意的に受け止められない」（丸山島根県知事）といった否定的なコメントも知事たちからは出ていました。

第二波がいつ到来したのか、政府は公式の見解を発表していないのですが、民間の有識者の指摘ですと、七月三一日にピークが来たと言われています。そして、夏休みでもあったため、「Ｇｏ Ｔｏキャンペーン」の被害を最初に受けたのが夏休みになると人流が加速する沖縄県でした。

沖縄県は、二〇二〇年八月七日の時点で新規感染者が一〇〇人を突破するのですが、沖縄の場合は、人口比などから、だいたい東京の感染者数からゼロを一つ減らすのが目安と沖縄担当の記者から聞きました。都内で一〇〇〇人突破と言ったら大事です。

そして地方の医療は東京に比べれば脆弱であるため、八月七日の時点で沖縄のコロナ対応病床の使用率は一四七・三パーセントにまで上がってしまいました。

つまり、第二波のときに沖縄では医療崩壊が実際に起こっていたのです。それでも政府は「Ｇｏ Ｔｏキャンペーン」をやめませんでした。

それどころか、一〇月からは、それまでストップしていた東京での「Ｇｏ Ｔｏ」解禁にも踏み切ります。欧米では再び感染拡大が始まり、イギリスはロックダウンをはじめようとしていたころに、です。一一月一一日には中川日本医師会会長が会見を開き、「第三波がもう来ていると思う」と発言。また中川氏は、当時は北海道が東京よりも感染者が多かったため、「北海道のＧｏ Ｔｏは見直すべきだ」と強く政府にも求めていました。

にもかかわらず、菅氏は「Ｇｏ Ｔｏ」を中断するという判断を、そこから一ヵ月以上先の一二月一四日まで保留するのです。

一一月の三連休初日、全国規模で四日連続一日二〇〇〇人超の新規感染者が発表され、東京、大阪、北海道など各地で最多を更新していました。こういう状況が続くなか、それまでＧｏ Ｔｏや感染拡大について、官邸に忖度した発言をする場面もあった分科会の尾身茂会長でさえ「Ｇｏ Ｔｏトラベルを早急に見直してほしい。政府の英断を心からお願い申し上げたい」と発言を迫っている状況でした。

このころから尾身氏は、官邸の判断にこれまでにないような厳しい口調で批判することが増えていきました。「週刊文春」によれば、尾身氏の発言がニュースになると、菅氏がイライラして、「尾身を黙らせろ！」「尾身は首相にでもなったつもりか」と側近たちに言っていたという話も伝えられています。「俺の決めている方針に逆らうのか」と、菅氏がいかにも言いそうな言葉ではありますね。

　尾身氏との対比で見ると、一一月一九日の官邸前のぶら下がりで、菅氏が「静かなマスク会食を心掛けてほしい」と発言したことには、私も驚きました。「Ｇｏ Ｔｏ」をやめるとは言わないのです。

　また「感染拡大がこのまま進んで大丈夫なのでしょうか」という記者の質問に対して、西村経済再生担当大臣が「感染がどうなるかは神のみぞ知ることです」などと無責任ともとれる発言をして物議を醸していました。さらに、感染抑制にならないなかで、一二月一日に至っても、菅首相は官邸に小池都知事を呼び寄せましたが、東京都は六五歳以上の「Ｇｏ Ｔｏ」自粛要請を行うのみでした。これにも信じられない思いでした。

人命を犠牲にしてもＧｏｔｏに執着

　二〇二〇年一二月一一日の時点では菅首相は「Ｇｏ Ｔｏ停止はまだ考えてございません」と発言しています。医療崩壊の状況を日々、新聞各社、ネット、テレビなどが報じているにもかかわらず、このころの菅首相は、秘書官たちが何を言っても「Ｇｏ Ｔｏだけはやめない」と停止を聞き容れないと聞きました。

　しかし、転機となったのは一二月一一日、一五時からはじまったニコニコ生放送での首相会見でした。「みなさん、こんにちは。ガースーです」という挨拶ではじまったのですが、毎日一五時ごろに新規感染者数のテロップが流れます。「ガースーです」と言って笑いを取ろうとした瞬間に、「新型コロナ、東京で新たに五九五人感染。過去二番目の多さ。重症者六七人」というテロップが現われたのです。これがネットで繰り返し流され、「この緊急時に何やっているんだ！　しかもギャグがまったく笑えない」という突っ込みが続いてしまいます。

この会見が金曜日で、直後に毎日新聞とＮＨＫの世論調査の結果が発表されました。ここではじめて不支持と支持が逆転し、毎日新聞の調査では支持率が一七ポイントも急落します。菅氏がもっとも信頼を寄せているというＮＨＫの世論調査は三日ほどの時間をかけて実施されるそうですが、ここでも五六パーセントから四二パーセントに、過去二番目の急降下率だったということで、これもまたニュースになりました。

この流れを受けてようやく一二月一四日に、菅氏は、本当は止めたくなかったようですが、年末から一月一一日までのＧｏ Ｔｏトラベルの全国一時停止を発表しました。

菅氏は本当に頑固な人だなとこのとき改めてよくわかったのですが、びっくりしたのはこのあとです。これは「週刊文春」が報道し、政治部の記者からも聞くことができたのですが、一四日にＧｏ Ｔｏ一時停止を発表しましたが、この前日の日曜日、急遽官邸で、菅氏、加藤官房長官、西村コロナ担当大臣、田村厚労大臣の四者会談を開催したそうです。秘密の話を聞かれることを嫌って秘書官は全部離席させたようです。

当時、政府は旭川市長の要望を受けて旭川市に自衛隊の看護師を一〇人派遣していましたし、大阪にも吉村洋文府知事の要請を受けて自衛隊の看護師を七人派遣していました。菅氏は一三日に「旭川に看護師を一〇人入れたから、そろそろ札幌のＧｏ Ｔｏを緩めてもいいのではないか」と発言したと文春に報じられました。

ここで色をなして反論したのが西村大臣で、「いまこのタイミングでそんなことをしたら国民が許しませんよ」と大激怒したそうです。侃々諤々、首相と西村氏とが四〇分ほど言い合いをして、結局、話は平行線でまとまらなかったと報じられました。信じられないような話です。

菅氏が、いかに国民の生命や安全を顧みず、人命を犠牲にしてまでＧｏ Ｔｏキャンペーンに執着していたのかということが浮き彫りになるエピソードでした。

意図的に流された安倍首相の病院入り情報

ところで、七年八ヵ月続いた安倍政権でしたが、二〇二〇年の八月二八日、ついに安倍氏は辞任を表明しました。

「政権発足以来、七年八ヵ月、結果を出すために全身全霊を傾けて参りました。病気と治療を抱え、体力が万全ではないという苦痛のなか、大切な政治判断を誤ること、結果を出せないことがあってはなりません。国民のみなさまの負託に、自信を持ってこたえられる状態でなくなる以上、総理大臣の地位にあり続けるべきではないと判断いたしました。総理大臣の職を辞することといたします」

このように語る、衝撃の会見でした。

そこに至る経緯の発端は、二〇二〇年の六月、定期検診中にかつて患っていた潰瘍性大腸炎再発の兆候が見られたことにあります。会食好きと言われる安倍氏は、毎日のようにステーキやら寿司やらに舌鼓を打ちながら会食していたのですが、徐々に七月の後半ぐらいからは一八時になると官邸を出て富ケ谷の自宅に直帰するようになり、記者の間では体に何らかの不調が生じているのではないかと言われはじめていました。

八月四日には、写真週刊誌「FLASH」が「安倍晋三首相　永田町を奔る〝七月六日吐血〟情報」と報じると、普段は余程のネタでないと週刊誌ネタで質問をすることがない官房長官会見でも「週刊誌が報道したが、安倍首相の体調に問題ないのか」との記者の質問が続いていました。当初は、官房長官だった菅氏は「連日お会いしているが、淡々と職務に専念しており、まったく問題ないと思っている」などと、安倍首相の健康不安説を打ち消していました。

しかし、事態が大きく動きはじめたのが八月一七日の慶應病院での検査でした。このときは血液を入れ替える治療も行っていたと思われますが、病院には七時間半も入ったきりでした。

これははっきりと覚えていますが、八月一六日の日曜日のことでした。政治部の記者でもない私のもとに、永田町の関係者からメールが届き、「明日の朝の八時半から九時の間に安倍さんが私邸をハイヤーで出て行く。そのまま慶應病院に長期入院するらしい。潰瘍性大腸炎が再発して悪化している」と書かれていました。その前に吐血報道も出回っていたのですが、こうした話が私のような政治部外の者にまで届くのですから、何か必ず意図があると感じました。

翌日、安倍氏の自宅前には全テレビ局、それから新聞各社のカメラマンたちがずらっと構えており、たしかに一〇時すぎに自宅を出て、真ん中のハイヤーに安倍氏が乗車し、前後二台にはSPが乗って、黒々としたハイヤー五台が行列をなして慶應病院に向かっていきました。その様子を民放のテレビ局の記者が生中継しており、「いま安倍首相の乗った車が慶應病院の中に入ってまいります！」とセンセーショナルに入院が報道されました。

何かおかしいと思いませんか。政治家の体調不良は政治生命と直結することですから、なるべく表に出さないのが普通です。ですから、首相動静の一日の最後に「スポーツジム」などとよく書いてありますが、これはスポーツジムの奥に自分のメインドクターが控えていて体調のチェックを行うことを意味すると聞いたことがあります。それほど首相にとって健康は政治生命に直結する話なので、病気や体調不良が表に出るのを嫌います。病院に行くことはなるべく知られたくはないはずです。

これが永田町の常識なのですが、このときの安倍氏の場合には、永田町サイドから安倍氏の入院説がリークされ、結果として入院はしなかったものの、このあたりから安倍氏に関する報道が変化して行きました。

「まだまだ首相としてがんばってやりたいのだけれども、またしても潰瘍性大腸炎が再発してしまい、ここで矢折れ、刃尽きて力尽きるしかない」

「安倍さん、よく頑張ったよ。安倍さん、ありがとう、ありがとう。安倍さん、そしてお疲れさま！」

——みたいな空気になってしまったのです。

辞任に向けて仕組まれたストーリー

やはり安倍氏は八月上旬から辞任を考えはじめていたようです。それと同時に、再び病気を原因に投げ出すと、投げ出し辞任とか、放り出し辞任とか、前回辞めたときのように国民から非常に強い批判、バッシングを浴びることになり、そのような不名誉な終わり方だけは絶対にしたくないという意向が強くあったようです。

そこで今度は辞任に向けたストーリーが組み立てられていきます。これは私の推測では戦略家であり、「影の総理」と言われた今井尚哉内閣総理大臣補佐官等が考えて、安倍氏の引退に向けての花道をつくるために、意図的に安倍氏の病気が大変なんだという情報が流されたのではないかと思われます。

ある記者によると、安倍氏に何人かついているであろう医師の一人が、一部の記者たちの囲みに応じていたらしいのです。そこでその医師がこう言ったと聞きました。

「カメラはやめてよ。カメラが回ると、だれがしゃべっているか声を変えてもすぐにわかってしまう。しかし、メモ取りはいいよ」

そう言って、安倍氏はこのような状況で、いまこういった治療をしているなどと話をしていたというのです。もちろん医師が首相秘書官や安倍氏の意向なしにこのようなことを勝手にするはずがありません。安倍氏がいま非常に深刻な状況で、こういう治療を施しているという情報を官邸側が流してもいいと判断したのではないでしょうか。

こうした恐らくは官邸側の意向も働いた流れによって、気づいたときには、辞任直後になんと支持率は二〇ポイントもアップし、「安倍さん、ありがとう」「安倍さん、がんばった」「安倍さん、お疲れさま」という何ともおかしな雰囲気が醸成されて安倍氏退陣への花道をメディアが見事に敷いてしまったのです。マスコミは最後の最後まで安倍氏側に見事に利用されてしまったようです。

悪化すると大腸がんになるので投薬治療が一年必要、その一方でオリンピック開催の見通しが立たず、そのうえ冬場にかけてコロナ禍が進み、経済、雇用も悪化は避けられない、さらにその後に明らかになりましたが、辞める直前の二〇二〇年七月ごろに、「桜を見る会」の疑惑で、告発を受けた東京地検特捜部が、パーティーが開催されたホテル・ニューオータニ側から、支払い明細書や見積書や請求書などの証拠書類を提出させていました。

この情報が、安倍氏側に流れないわけがありません。捜査の手がじわじわと迫っているということも体調悪化に影響を与えた可能性があるかもしれません。さまざまなことが複雑に絡み合い、先行きが見通せないなかで、安倍氏は臨時国会が開かれる前の、ある意味絶好のタイミングで辞任してしまったのでした。

しかも驚いたことに、安倍政権の継承を掲げた菅氏、あの口下手な菅氏が、まさかの新総裁に就任してしまいました。巧妙だったのは、体調悪化の兆候が出た六月以降から「二階・菅蜜月」ムードが演出されており、安倍氏後継への戦略が着々と練られていたということです。

菅氏と二階氏の蜜月アピール

たとえばあるBSの番組で二階氏が、「安倍長期政権を支えてきた菅官房長官、これはなかなかの逸材ですぞ」とベタ褒めする一方、別の番組では菅氏が「いや、私はさまざまな政治家とつき合ってきたが、二階さんほど政局観に長けた政治家をこれまで見たことがない」などと述べ、それぞれの番組で互いに褒め合っているという情報が政治部経由で流れてきました。なんだか気持ち悪いなあと思ったのですが、政治家としての動きですから、見る人から見れば、「俺たちは蜜月の関係なんだ」というアピールになっているのでしょう。

この蜜月の延長として安倍氏が辞任を表明してからいち早く菅氏支持を表明したのが、やはり二階氏でした。そして細田派、麻生派、竹下派、石原派の四派閥が続きます。とにかく各派閥もポストが欲しいですから、「二階さんが走らせたバスに乗り遅れるな」というので、あれよあれよという間に四派閥も支持を表明し、総裁選がはじまる直前にはもうすでに五派閥の支持が固まっていました。議員の割り当てでいくと七割、八割の票が菅氏に向かう計算になり、もうここで結果は確定してしまったも同然です。

また、実際に全国の党員投票を行うという本来の総裁選のやり方では、議員票対党員投票の票がフィフティ・フィフティになります。そのため、まだまだ地方に強い石破氏が勝つか負けるかみたいなことも考えられたのですが、問題は安倍氏がその決め方を二階幹事長に一任してしまったことです。

安倍氏が、以前の故・小渕恵三氏のように、首相在任中に突然倒れてしまって意識がないとか、緊急入院しているというのならまだしも、このときは**別に入院していたわけではなく、普通に国会にも登院していました**。実際に若手の政治家たちからは「安倍さんは一応まだ登院しているぐらいなのだから、全国の党員投票をやって正式なやり方で総裁を決めるべきだ」と発言していましたし、小泉進次郎議員はじめ約一四〇人の自民党議員から、全国の党員投票で正式なかたちでの総裁選を行うべきであるという署名が集まっていたのです。

にもかかわらず一任された二階氏は、「お前たちの言い分はわかった。しかしいまは緊急時だから」と、党員ではなく都県連の代表者が投票するかたちにしてしまいました。議員票と都県連代表者はだいたい一対三ですから、議員票がより有利になる、菅氏に軍配が上がるようなかたちを選んだのです。

結果として、やはり菅氏の圧勝に終わったのですが、驚いたことに、二位は石破氏になるだろうという多くの人の予想が覆りました。総裁選当日の午前中、またも永田町の住人から「石破の総理の芽を摘むため、菅さん側が岸田文雄に数十票を流すらしいぞ」と情報が流れて来たのです。そこまでやるのかと思ったのですが、蓋を開けてみたらたしかに数十票が岸田氏に流れていました。

「二位岸田さん、八九票」。スポットライトがパパッと当たる。岸田氏は流されたとわかっているはずなのに、意外であるかのような表情で、ニコッと笑い、「ありがとうございます」と感謝の意を述べていました。総裁選が終わったあとの派閥の会合でも、「なんとかみなさんのおかげで二位になりました。この次も総裁選に出て闘います」と言って、笑顔を振りまいていた姿に、知り合いの政治部の記者も「**岸田さんはいい人だけど、こんなふうに石破潰しの票を流してもらって恥ずかしくないのかな**」と驚いていました。実態としてはそれほど石破氏を潰したかったということでしょう。陰湿ですね。

「石破潰し」の一点で結束

とはいえ、麻生氏と菅氏とはぜんぜん仲がよくはないと聞きます。水面下で互いに足を蹴り合っているという噂もあるほどです。

菅氏が総裁になったあとの閣議後の記者会見の場で、「新総裁に期待することは何ですか」という質問に対して、麻生氏は「えー、新たに総裁になったカン総理には」と返してきました。故意なのでしょうが、「スガさん」を「カンさん」と言ってしまったのです。

秘書官が出てきて「(声をひそめて) スガさん、スガさんです」と伝えると、「ああ、ごめん、ごめん。スガ総理には」と言い直し、べらべらと喋ったあとでまた、「そういうことで、まあ、カン総理には」と二回も間違えていたと聞きました。これは嫌がらせ以外のなにものでもありません。

そこまで仲が悪い二人がなぜ手を握り合ったのでしょうか。やはり「石破潰し」、すなわち「石破だけには総裁をさせたくない」ということだったのではないでしょうか。なぜかというと、石破氏が前々回の総裁選でも、森友問題に関する第三者による文書改竄究明に言及していたからです。検察が不起訴にしてしまったので真相はわからないけれども、弁護士など客観的な第三者の外部委員による第三者委員会をつくって適切な調査をすべきだと主張していました。今回の総裁選でも問題にしており、これが気に食わなかったと言われています。

この問題は、赤木俊夫さんの妻・雅子さんが民事で提訴し、裁判になっていますが、石破氏が総理になってこのことを掘り起こしたら、問題が発生した当時から現在に至る麻生財務大臣はもちろん、前首相の安倍氏、官房長官だった菅氏の三人に一気に影響が及ぶことになります。

この一点によって「石破だけには総裁をさせまい」として石破潰しが仲が良くないとも言

われている麻生、菅の間で了承され、進んだのではと聞きます。

ウケ狙いの経済重視とコロナ軽視

五派閥の支持が表明されたため、総裁選中は、肝心の総裁選での討論などはそっちのけに、菅新政権組閣の予想ダービーのような報道が相次ぎました。菅氏は派閥にとらわれない組閣人事を行うなどと偉そうなことを言って報じられたわけですが、蓋を開けて担当大臣の顔ぶれが揃うと、五派閥の均衡を非常に重視するものであることが明らかでした。菅氏自身がもしコケたら、河野太郎氏を担ぐのではないかとも永田町では言われていますが、河野氏が目玉の行革担当相、加藤勝信氏が官房長官に就任しています。

加藤氏は安倍氏の母の洋子さんのお気に入りと言われています。文科大臣の萩生田光一氏が次の官房長官という説もあったのですが、加計疑惑で名前が取りざたされたことも影響したのか、結局、加藤氏となりました。

二階派の平沢勝栄氏は、今回はじめて復興大臣に就任しました。平沢氏はじつは当選回数が多いにもかかわらず、安倍長期政権七年八ヵ月のなかで一度も大臣にはなれませんでした。これは、平沢氏がある雑誌のインタビューで答えた内容が原因になったという説が指摘されています。

「私は学生時代、いろいろなアルバイトをして学費を稼いだ。そうしたアルバイトの一つでいろんな大学生の家庭教師をしてきたが、安倍晋三ほどできの悪いのはいなかった」

こういう発言だそうです。彼は安倍氏の家庭教師をしていたわけです。この話が永田町を駈け回って、安倍氏の耳にも入ってしまったと聞きました。

安倍氏はあのように明るく見えますが、自分をバカにされた恨みは絶対忘れないという執着気質の人らしいのです。そういえば、河井克之元法相夫妻が逮捕された、広島参院選挙区での買収事件でも、安倍氏側が河井案里氏に一億五〇〇〇万円を支出する一方で、相手の溝手顕正議員側にはわずか一五〇〇万円しか支出していませんでしたが、これも溝手氏がかつて、安倍氏について「もう過去の人だ。主導権を握ろうと発言したのだろうが、執行部のなかにそういう話はない」と過去の人呼ばわりしたことに腹を立てたからとも言われています。そういう意味では、「この恨み忘れまじ」という安倍氏の姿勢が平沢氏のときも溝手氏同様にあったのではないかという気がします。そういうことで、菅内閣でようやく平沢氏は復興大臣に就任することになったと聞きました。

平井卓也氏がＩＴ大臣でデジタル庁準備室ＧａａＳが設置されました。コロナ軽視・経済重視という菅氏らしく万博担当相とかＩＴ相などを新設しているのですが、コロナ担当相は結局置かず、安倍氏に近く菅氏とはやや距離があると言われている西村氏にそのまま担当大臣を引き継がせることになりました。

二〇二一年秋の解散総選挙に向けて「こども庁」をつくることなどが計画されています。これなどは名前さえつければいいと思っているのか、どこか選挙目当てのウケ狙い、かつ経済重視をアピールしようとしているようですが、コロナ軽視も露呈し、菅氏の不人気にもつながっているように思われます。

「弱肉強食加速社会」

菅氏が総裁選に出馬した二〇二〇年九月の会見は議員会館で行われたため、私も参加することができました。何を言うのかと思っていたら、「私は雪深い、秋田の農家の長男として生まれ、段ボール工場で働き」というような浪花節みたいな感じの言葉であり、俺は裸一貫でここまで一人で成り上がってきたのだとアピールしていました。父親はイチゴ栽培で成功した方で、町では有名な町会議員だったそうですが、いわゆる国会議員ではないため、世襲の二世、三世ばかりのなかでは、やはり裸一貫でやってきたという彼自身の自負が滲み出た会見でした。

そして「自助です。そして共助です。最後に公助。そして絆」と言っていました。これは**「まず自分でやってみろ。それがだめなら周りに助けを求めてみろ。そして最後の最後が公**

助だ」ということで、言葉が貧弱な菅氏らしいワンフレーズなのですが、これは新自由主義的な価値観そのものです。グローバリズム的価値観の下で、目指すは「弱肉強食加速社会」という流れではないでしょうか。

また、デジタル庁の創設が菅内閣の目玉政策とされています。このデジタル改革関連法案については、あまり細かい解説はありませんが、官邸にあらゆる個人情報を集中する流れになりますので、個人情報保護の観点からの検討が不十分なまま、各自治体が作ってきた個人情報保護のルールはリセットされます。首相の権限、官邸の権限がより強化されることになることは間違いありません。かなり急ピッチで強行に採決され、二〇二一年九月にはデジタル庁設置が決まりました。おそらく、この関連での問題は、九月以降、噴出してくるように思います。ここで目指されるのは「デジタル監視国家」ではないでしょうか。

ジェンダー平等という価値観については、菅氏はほとんど持ち合わせていないように見える一方で、不妊治療の保険適用といったようなことは華々しく打ち上げます。この根底にあるのは、少子高齢化が進み、若年労働者が減少していることがあるようです。

若手の働ける人材を増やしたい、産めよ増やせよということで、三九歳未満、世帯年収五四〇万円未満には「新婚さん、いらっしゃい。六〇万円！」を給付することも方針として打ち出しました。

それから携帯電話料金の値下げの問題があります。まだまだ高いと菅氏が言うたびに、通信各社が値下げに応じるということ自体が、独禁法に抵触する流れではないかという指摘もあります。それから、地方銀行の再編・合併を進めたいという意向も伝えられています。

いま政府の成長戦略会議にデービッド・アトキンソンという英国人の元アナリストが入っていますが、彼は日本の中小企業のなかで成長の鈍い下位五割を潰すことによって、構造改革を推進すべきであると言っています。コロナ禍でさらに中小企業を追い込むような政策をとることはできないと、経産省のなかでもアトキンソン氏の改革論を批判的に見ている人たちがいるようです。

新自由主義、グローバリズムの信奉者の竹中平蔵氏が総務大臣のときに、菅氏は副大臣として仕えており、この二人のつながりはいまにはじまったものではなく、とても強いものがあります。官房長官時代も週一回はランチをして政策論議を交わしていたと言われています。その意味では菅氏の強調する「自助」というのは、竹中氏の考えにとても近いものがあるように見えます。規制緩和という名の下での新たなビジネスや利権の立ち上げ、そこから自分の権力を伸ばしていくという手法ですね。

桜疑惑と司法コントロール

桜を見る会に関しては、晋和会という政治団体が差額の約九一六万円かを補塡していたことがわかり、また安倍氏が国会で一一八回も虚偽答弁を行っていたことが確認されました。かつては首相のぶら下がりでは、「事務所、後援会としての収入・支出はいっさいございません」と言っていましたが、「鶴の間」というホテルニューオータニ最大級の会場を借りるだけでも相当な額になるはずです。

しかも、ここで大々的に飲み放題、鮨、オードブル、肉、野菜という豪華なバイキング料理が提供されたのですから、一人当たりの会費は到底五〇〇〇円で済むはずがありません。当初、東京新聞や各社の記者がホテルに取材すると、「さすがにあの会場でのパーティーは最低でも立食一万一〇〇〇円からです。それ以上の値引きはございません」と断言していました。ですから、少なくとも差額の六〇〇〇円程度は安倍議員事務所側が補塡しているのではないかという疑問は拭えませんでした。

しかもニューオータニの元社員だった方がテレビのインタビューで、「五〇〇〇円でやるとしたらビール一本と乾き物。これだったら五〇〇〇円でできますが」とも証言しており、さすがにあれだけ豪華な食事が出て五〇〇〇円はないだろうということだったのですが、疑惑のさなかのぶら下がりの会見では、「八〇〇人以上の後援会の方たちが泊まりましたから、五〇〇〇円の会費はホテル側が特別に設定をした。これについては事務所がホテルと話をさせていただいた結果です」と安倍氏は弁明を続けました。このとき安倍氏は、ホテルと話をした結果として、一人五〇〇〇円で良いとなったのだと言い切っていたわけです。

ところが、これも「週刊文春」が暴いたのですが、この発表をした当日の午前中、議員会館にニューオータニの広報部長ら二人が呼びつけられて、安倍氏の秘書と三時間近く話し合いをしていたと報じられています。話し合いの結果、「一人当たり五〇〇〇円だったよな〜」という結末に至ったということでした。

そもそもニューオータニなどの大手のしっかりしたホテルは、必ずパーティを行う前に見積書が作成されます。支払請求書などが省略されることなどありえません。ですから、これを発表したときも野党や記者たちは「それでは経費や利益などを証明するようなものを出してください」と言っていたのですが、「いっさいございません」とシラを切っていたのです。

しかし、二〇二〇年夏以降の特捜部の調査によって、五年で総額九一六万円の差額が補填されていたことがわかりました。政治資金規正法に違反していたことが明らかになったのです。本来であれば、略式でなく、在宅起訴をしていったい何があったかを裁判で証明するべきだと思いますが、安倍氏にいたっては、「私は秘書にウソをつかれていた。私は被害者です」と言って開き直っており、またしてもすべて「秘書のせい」にしようとしていました。

しかもこの問題の発覚のウラでは、検察庁法改正案に手をつけ、東京高検検事長だった黒川弘務氏の定年延長が画策されており、実際に閣議決定まで行われていました。しかし、ツイッター上では三〇代の広告会社勤務の笛美さん（仮名）が始めた「#検察庁法改正法案に抗議します」とハッシュタグがついた抗議デモが行われ、これが土日を挟んで瞬く間に拡散、一〇〇〇万呟きにまで膨れあがりました。そして、最終的には検察庁法改正案成立は見送られることになったのです。

いま思い返すと、なぜあの黒川検事長を検事総長に据えるために、定年延長にことごとくこだわったのか、これはひとえに安倍氏の桜疑惑を封じ込めさせるためだったのではないかとも感じます。

二〇二〇年の五月、弁護士、法学者六〇〇人以上がこの「桜を見る会問題」を刑事告発しており、その約二ヵ月後には、特捜部がホテルに任意の資料提出を迫っています。このような展開が進む可能性を察知するなかで、菅氏としては、いまの林眞琴総長を押し退けて、菅氏とつながりの強い黒川氏を検事総長にさせたかったのでしょう。つまり特捜部を持つ検察庁をコントロールしたかったのではないかと思います。

「赤木ファイル」は改竄指示を暴く

文書改竄問題にも触れておきたいと思います。これまで、この問題をめぐって自死した近畿財務局職員の赤木俊夫さんの妻・雅子さんが国などを訴えた民事裁判で、二〇二一年三月、国は非公開の協議の場で、ファイルを「探索中」と回答。ここで中尾彰裁判長が、国に「文書提出命令がなくても、ファイルが見つかったら任意で提出するように」と促しました。中尾裁判長による訴訟指揮を受けて、財務省がその存在の有無に言及してこなかった「赤木ファイル」、赤木俊夫さんが亡くなる前に改竄の経緯を記したと言われているファイルが、ようやく二〇二一年六月二二日に開示されました。

赤木ファイルで、佐川宣寿理財局長（当時）が赤木さんに「国会答弁を踏まえて決裁文書を修正するよう」直接指示したメールの存在が明らかにされたことで、佐川氏の赤木さんへの改竄指示は動かせないものとなりました。では佐川氏に改竄を促したのはだれなのでしょうか。

赤木さんが財務省の指示で改竄をはじめて強いられたのが二〇一七年二月二六日のことです。日曜出勤させられ、赤木さんを含めた七人に指示がなされて改竄が行われています。

私がいまでも引っ掛かるのはこの四日前の出来事です。菅官房長官の下に二度にわたって佐川氏や中村稔総務課長（いずれも当時）らが足を運んでいます。

一回目は官邸へ、時間が足りず、夕方にはもう一回議員会館の菅氏の事務所を訪れています。このときにどのようなやり取りがあったのか、何かが指示されたのでしょうか。これについて、一応菅氏は国会で弁明していますが、そのときのやり取りについての秘書官のメモはないとのことでした。

森友改竄事件以降、官邸ではメモは絶対とらせなくなったという話をよく聞きます。同席した佐川氏を含めた官僚たちは、このときどんなことを菅さんから言われたのか、何らかのメモを別のかたちで残している可能性はありますが、存在しないことになっている。それゆえ、この場で実際にどんなやりとりがあったのか、よくわからないのです。

改竄前の文書には、麻生氏、安倍氏、安倍昭恵氏や維新の議員を含め二〇人近い名前が登場しており、これをすべてリストアップし、佐川理財局長が「この名前のある文書の部分は全部削除しろ」と現場に指示している。菅氏としても「改竄しろ」などと刑事罰を問われるようなことを言うことはないだろうと思いますが、たとえば「くれぐれも総理ご夫妻に面倒はかけるなよ」というようなことを言ったかもしれません。ちなみに中村氏が作った削除リストについて財務省は発見できなかったとしており、これもかなりおかしな話だと思っています。

もし二六日の改竄によって佐川氏たちが起訴された場合、この四日前の官邸や議員会館で菅氏とどんなやり取りがあったのかが、やはり問題になり、捜査でもここが焦点になるはずです。ですから、佐川氏を起訴する場合には、当時の官邸の動きにメスを入れなければならなくなりますので、検察庁vs.官邸という縮図がこの捜査のなかで生じることになります。検察は結局、官邸との全面対決を避けるという判断をしたのではないかと思いました。

赤木雅子さんは安倍政権時代、このように言っていました。

「安倍首相も麻生大臣も夫のことを切り捨てた。検察の捜査は刑事処分のためで真相解明とは別。国は国民にも夫にも向き合わず、あるものを出さず、ズルズル先延ばしにして逃げている。安倍首相は自分の発言と改竄には関係があることを認め、真相解明に協力して欲しい。安倍首相、麻生大臣、わたしは真実が知りたい。まじめに働いた職場で何があったのか、何をさせられたのか知りたい」

赤木さんはありとあらゆることをメモにして残しました。悔しかったのではないでしょうか。はじめは泣いて部下とともに三人で抵抗したのに、結局改竄を引き受けさせられ、それを「部下にはやらせたくない」と、一人で抱え込み、三回、四回と改竄を強いられたのです。

雅子さんは訴えました。

「最後に裁判官のみなさんにお願いがあります。夫が作成したファイルを含め、できるだけたくさんの資料を集め、できるだけたくさんの人の尋問を行って事実を明らかにしてください。そしてそのうえで、公正な判決をくだしてください。国会議員・公務員のみなさんへ、どこを向いて仕事してますか？　改竄してしまいましたが、夫・赤木俊夫はまっすぐ前を向いていました」

雅子さんの訴えは、俊夫さんのような被害者が二度と出ない社会をつくってほしいということです。そしてその強い意思が赤木ファイルの開示を実現したのです。

入管の人権無視

名古屋入管（出入国在留管理局）に収容中だった三三歳のスリランカ人女性ウィシュマさんが再三にわたって点滴などの治療を求めたにもかかわらず、三月六日に命を落とされるという痛ましい事件が発生しました。

二〇一七年に来日後、日本で英語の先生になることを夢見ていた彼女は、交際するようになったスリランカ人の男からおカネをむしり取られるようになり、殴る蹴るの暴行を受け、二〇二〇年八月、わずか一三五〇円のおカネを手に、静岡県清水町の自宅近くの交番に「彼に追い出された」と助けを求め、入管施設に収容されました。

入管当局は二〇〇八年七月、全国の入管施設に法務省入国管理局長（当時）名で「ＤＶ事案に関わる措置要領」（二〇一八年に一部更新）を全国の入管施設へ通知しています。そこには、「ＤＶ被害者本人の意志に配慮しながら、人道上適切に対応」「母国語の通訳を介し調査し、警察、ＤＶセンター、ＮＧＯなどと連携を図ること」「ＤＶ被害者が配偶者からの暴力に起因して旅券を所持していないときは、在留資格を交付する」などと記されています。

要領に基づくと、ＤＶ被害者だと認知できた場合、ウィシュマさんは入管ではなく、ＤＶシェルターで心身のケアを受けられただけでなく、日本語学校の退学で失った在留資格の交付を受けられた可能性もありましたが、入管庁も警察も、ウィシュマさんがＤＶ被害者であると認識にしたにもかかわらず、ＤＶ被害者としての対応をまったくしないまま、収容を継続しました。

二度にわたる元交際相手からの脅迫文

収容後には二度にわたり、元交際相手からウィシュマさんへの脅迫めいた手紙も届いていました。入管側は収容者に来る手紙は内容をチェックしてから渡すはずなのに、なぜ、そんなものを直接彼女に渡したのか、理解に苦しみます。

「入管まで私に手紙きました。彼氏すごい怒るとき厳しいになります。私がスリランカで探して罰やることと、あと、スリランカにいる彼氏のファミリーのみんな、私帰るまでリベンジ（復讐）やるために待っていること書いてあった」

ウィシュマさんが書いた仮放免の申請書には、男の手紙におびえる彼女の心情が綴られていました。どれだけ不安だったことでしょう。

ウィシュマさんは、手紙が来て以降、「元彼と鉢合わせるのではないか」と屋上に出られなくなり、心配で、やむを得ずたとえ屋上に出たときも、声が出せなくなっていたそうです。

彼女がまず向かうべきだったのは、入管ではなく、DV被害者を収容する保護シェルターであり、カウンセラーなどについて、心身のケアをきちんと受けることだったと思います。入管施設には、法務省がDV被害者と認知した被収容者が一定数いますが、この数にウイシュマさんはカウントさえされていませんでした。

面会を重ねた支援団体「START」顧問の松井保憲さんによると、ウィシュマさんが帰国の意思を示していた当初、入管職員の対応は「とても親切だった」ということでした。しかし二〇二〇年一二月九日、松井さんとはじめて面会し、ウィシュマさんが、日本での残留を希望するようになると、職員の態度が急変し、「帰れ、帰れ！　帰れ！」「帰らないならば、無理やり帰らせる」など、高圧的な言動が続くようになり、ウィシュマさんは次第に精神的に追い込まれていったということでした。

　一二月一八日に彼女とはじめて面会したシンガー・ソングライターの真野明美さんは、「職員にも、スリランカに帰るよう追い込まれていて、見るからに憔悴しきっていました。DVで心も体も傷ついているのだなと一目でわかり、あいさつもそこそこに『うちに来てください。一緒に暮らしましょう』と声を掛けると、彼女の顔がパッと輝き、体を揺らすように胸に手を当て『ありがとうございます』と大きな呼吸を数回したのを覚えています。私が『おなか痛くないの?』『大丈夫?』と聞くと『ここに来てはじめて私の体を心配する言葉を聞いた』と顔を覆って泣き崩れていました。とにかく、すぐに彼女を家に連れて帰りたいと心が苦しくなった」と、当時の思いを語ってくれました。

　真野さんは、心身が疲れ切っているように見えたウィシュマさんがつらい思い出でなく、楽しいことを考えられるようにとカラーマジックと画材や切手などを贈ったそうです。すると、その後、ウィシュマさんは「一緒に着物を着たい」「カレーを食べよう」「お茶をしよう」など、将来への「願い」を込めた手紙を丁寧な日本語やローマ字、英語を交えて書きつづってきたそうです。ウィシュマさんと似ているポニーテール姿の着物の女性やクジャク、真野さんの似顔絵など、ウィシュマさんが得意なイラストをたくさんちりばめた手紙やカラフルに彩られた絵が十通届いていたそうです。

真野さんは「手紙は二月八日以降、ペンも握れなくなり書けなくなっていった。会うたびに衰弱する彼女を見て何度も『死んでしまう。助けて』と、職員に点滴と入院を求めたが、職員は『監視カメラで見て適切にやっている』と言うばかりでした。亡くなる八日前の二月二六日には、面会に来た支援者に『トイレに行けず、口から血が出る。床に転んで寝て、寒かった』と、入管職員が介助さえしてくれなかった状況を告白してくれました。面談を終えると、処遇部門の担当者に『このままでは死んでしまう、あなたも人間ならば助けて』と抗議すると、職員はベッドからウィシュマさんが落ちたことを認識していたけれど、ベッドには戻さず、毛布一枚をかけただけだったことを認めて、『床にはビニールシートを敷いているから大丈夫』などと言ったのです。信じられない思いでした。結局、点滴含め、満足な医療を何一つ施さず、入管は彼女を見殺しにしたんです」と批判していました。

真野さんによると、二月三日、嘔吐が止まらないため青いバケツを抱えたウィシュマさんが車いす姿で現れたそうです。毛糸の帽子がなかったせいか、寒さを和らげるために、頭にパーカを被りウィシュマさんが面会室に来ました。

「ウィシュマ！　ウィシュマ！」と真野さんが声をかけると、放心した表情の彼女が一瞬ですが、精いっぱいのほほ笑みを見せてくれたそうです。体が動かせず髪の手入れができないと、他の収容者に髪の毛をざんぎり頭に切ってもらっていたそうですが、葬儀ではそれをごまかすかのようにカツラを被せられていたそうです。

真野さんは「葬儀で見た彼女は写真とはまるで別人で頬がこけ骨と皮だけ、手首は枝のようでした。『だれも助けてくれない』と孤独のなかで一人で逝ったのだと思うと、いまでも胸が締めつけられます。大好きな日本でこんな目に遭わされるなんて。DV被害者であるとわかった時点で傷ついた彼女を救うことができたはずだ」と声を落としていました。

真野さんがウイシュマさんを住まわせようとしていた部屋には、いまも彼女のいくつかの遺影や記事とともに真野さんがウィシュマさんが来たら着せてあげようと、着物の生地を使って縫った洋服や果物やお酒などのお供えものが置いてありました。真野さんは、その後、遺族の妹さん二人にも洋服を縫ってプレゼントしていました。真野さんから送られてくる仏壇の周りの明るい華やかな様子を見ると、ウイシュマさんが、きっと天国で喜んでくれているような気がしてなりません。あまりにも悲惨な最期でしたが、ウィシュマさんが、傷ついた彼女のありのままを受け入れようとしてくれた真野さんと最期に出逢えたことは、悲惨な状況のなかでもかすかな喜びだったのではないかと思います。

募る入管庁への不信

ウィシュマさんが亡くなり、入管職員の対応が次々と問題視されました。入管庁が四月に発表した中間報告では、外部の医師や面会した支援者らの指摘が中間報告書に反映されていなかったことも判明しました。真野さんは「入管庁の調査は信用できない。外部の第三者による調査をしてほしい」と訴えています。

しかし、上川陽子法相は、遺族が求める収容中の監視カメラの映像公開を「保安上や亡くなった方の名誉や尊厳などの観点からも適切でないと判断した」と拒否しています。遺族の妹ワヨミさんとポールニマさんは、「上川法相が拒否するということは、どれだけひどい扱いを姉が受けたということなのか。都合の悪い事実を隠そうとしているのではないか。出されるだろう最終報告書もまったく信用できない、動画をすべて見せてほしい」と訴え、不信感を募らせています。ワヨミさんは、「日本は安全・安心な国だと思っていたから、母も姉を送り出した。二度と姉のような犠牲者を出してほしくない」と言っています。

遺族や弁護団らを取材していると、この国の入管施設での収容者への入管職員の対応に憤りを感じざるを得ません。被収容者は、動物以下の扱いを受けているのではないか。同じ人間なのに、なぜ、普通に適切な医療が受けられないのか、本来持っていただろう病気を特定されないまま、詐病扱いされてしまうのか。

二〇二〇年末、正規の在留外国人の数は二八八万人にのぼり、日本で社会・経済活動を回すために、外国人労働者の存在はなくてはならないものになっています。それなのになぜ、これほど人権を無視した対応を入管庁は続けられるのか。まったく理解できません。

佐々木聖子入管庁長官は、六月二〇日の国際難民デーを前に、朝日新聞の取材に応じ、「全件収容主義からの決別を」と、不退転の意志を示したことが報じられました。ウィシュマさんの死亡問題は「痛恨の極み」としています。安心安全なオリンピック・パラリンピックの開催を名目に二〇一六年以降、入管法の適用を厳格化し、長期収容者数が急増しました。これに抵抗し全国の入管施設で抗議のハンガーストライキのデモがはじまり、二〇一九年六月には、ナイジェリア人男性サニーさんが餓死するという痛ましい事件まで発生しました。

そして政府は、「長期収容を改善するため」として、新たな改正法案を四月下旬から審議入りさせましたが、収容者を支援する弁護団や支援団体、市民から「法案は、入管庁にさらなる権限を与えるもので、収容での司法審査の導入など、国際的な批判にまったく向き合っていない」などという大きな反発の声が届き、改正法法案は結局、見送りとなりました。見送りとなった日付は、検察庁法改正法案が二〇二〇年に見送りになったのと同じ五月一八日でした。たまたまとはいえ因縁めいたものを感じました。

法案が見送りになった現在、入管庁が取りむべきは、ウィシュマさんを死に追いやったことへの責任から目をそらさず、遺族の訴えに真摯に耳を傾け、監視カメラの映像をまず提供し、DV対応含め、入管行政の実体を把握し、入管庁の抜本的な改革に着手することだと思います。

佐々木長官たちは、「全件収容主義からの脱却」を、文字通り「不退転の決意」で臨んでほしいと思います。日本の司法判断がまったく入らない入管収容のいびつさと恣意的な運用、低すぎる難民認定率の問題は、国際的にみても非常に恥ずべきものだと思います。参議院で合同法案が出されたように、難民認定や入管収容においては、入管庁の裁量に任せるのではなく、独立した司法機関を設置し、透明性を高め客観的に判断することが必要だと思います。

政治や社会が抱える根深い問題を明らかにし、少しでも良い方向に社会が舵を切るためには何が必要なのかというと、問題意識を持つ記者たちが連帯し、そして、同じように考える市民と連携していくことであり、おかしいと思ったら、そのときその瞬間にみんなで声を上げていくこと、これが私たちが未来の子どもや孫たちのためにやっていくべきことではないかと思います。

私の好きなハリスとガンジーの言葉

最後に、私が好きな言葉を二つ紹介させていただきます。

まずはアメリカ初の女性、アフリカ系、アジア系の副大統領となったカマラ・ハリスさんの言葉です。

「すべての子どもたちへ。ジェンダーは関係ありません。大きな夢を抱き、信念を持って指導者となるのです。そして他の人とは違った見方で自分を見つめてください。他の人には、見つけられないかもしれないからです。私たちはみなさんの一歩一歩を温かく見守ります」

ハリスさんの言葉には、寛容と平等、多様性と個の尊厳への志向が溢れています。閉塞した時代に、でも希望はあるのだと勇気づけられます。

もう一つは、バッシングを受けることも多い私が、よく自分に言い聞かせているマハトマ・ガンジーの言葉です。

「あなたのすることのほとんどは無意味であるが、それでもしなくてはならない。そうしたことをするのは、世界を変えるためではなく、世界によって自分自身が変えられないようにするためである」

ガンジーは二〇世紀前半、イギリスの植民地支配に対するインド民衆の抵抗を指導した思想家です。暴力によらないで、非暴力・不服従の抵抗運動を行いました。ガンジーは世界を変えることをあきらめていたわけではまったくなくて、世界を変えるためには、まず自分がその理想を体現する者であろうとするべきだと考えていました。そして、いまの不公正な世界が、自分を体制に順応する人間に変えてしまうことに、だれより敏感だったのだと思います。

何かに悩んだり行き詰まったりしたときは、私はいつもこのガンジーの言葉を思い出します。他人に自分がどう見られるのかではなく、「いまの自分自身が、どうしたいのか、どう人生を生き抜きたいのか」と心のなかで、日々自問自答を重ねることの大切さを教えてくれる一言だと思っています。

こうした同時代の言葉や先人の思考を大事にしながら、私も自分自身の思いと良心に向き合って、記者としての活動を続けていきたいと思います。

第二章　私的ドキュメンタリー論

五百旗頭幸男

「応援する視点」しかないことへの違和感

僕は就職の際、もともとアナウンサー志望で、二〇〇三年に富山県のローカル局、チューリップテレビに入社しました。東京のキー局から順に入社試験を受けて、たまたま受かったのがチューリップテレビだけだったんです。

それまで富山に行ったことは一度もなくて、富山がどこにあるかもわからなかったくらいでした。入社前に社長に言われたことが、「君は富山のことを知らないから、まず富山のことを学んでほしい。だから営業だ」と。なぜ報道の現場じゃなくて営業になったのか、その理由はわからないままでした。

結果的には、のちのち振り返ると、営業時代の二年間は自分にとってすごく重要な時間だったし、放送局でCM枠を売る苦しみをわかったうえで物づくりをする人間と、おカネは遣えばいいんだという感覚でつくる人間とでは、たぶん時代への向き合い方も、番組の内容自体も違ってくると思うんです。

その経験から、僕は営業マンの苦闘ぶりもすごく理解できたので、良かったなと思っています。とはいえ、営業時代は基本的に人の顔色ばかりうかがう日々でした。そのうち、アナウンサーになりたくて見知らぬ土地である富山に来たのに、このままこの日常を受け入れていると、やりたいことが何もできなくなるという危機感が生じてきました。

入社二年目の冬、社長に直談判して、「この次の春の異動で報道に行かせてもらえなかったら、会社を辞めます」と言ったあたりから、自分のなかで何かが吹っ切れたような気がします。念願が叶い、翌年の春に報道に異動させてもらって、最初はスポーツ担当だったんです。そのスポーツ担当のときにすごく違和感として映ったのが、ローカルメディアのスポーツ担当はローカルチームを応援する視点しかないということでした。ローカルチームがいかに調子が悪くても、「県民の力で後押ししましょう」みたいな精神主義を高揚させることが気持ち悪くて。いくら地元チームといえども、良いところは良い、でもダメなところはきっちり批判すべきだし、周りにそういう構えがいっさいなかったから、僕は逆にそこにこだわるようになったんですね。

もともとスポーツを担当したかったので、「カターレ富山」という富山市のサッカークラブが、ＪＦＬからＪ２に上がっていく過程をずっと取材していました。

平然とした隠蔽、批判をスルーして恥じない態度

そのとき僕は、戦力分析だったり、監督の采配分析みたいなことを日々のニュースのなかでやっていて、他社はそんなことはやっていないので、完全に浮きまくりでした。

監督は僕のことが大嫌いで、取材に行ってもちゃんと応じてもらえなかったし、ぶっきらぼうに対応されたりすることが続いていたんですけど、逆に選手たちが、「監督はいつもチューリップテレビのニュースを見てキレてるけど、じつはサッカーについてちゃんと報じてくれるのはチューリップテレビの五百旗頭さんしかいないから、僕らは五百旗頭さんのスタンスを支持しています」とはっきり言ってくれました。それで選手たちと飲みに行ったりもする関係になりました。言うべきことは言い、批判もするけれど、選手たちから信頼してもらえる関係がつくれたというのが経験としては大きかったですね。褒めることだけが僕らの役割じゃないし、たぶん視聴者もそんなことは求めてない。それが僕の記者としての原点です。

富山グラウジーズというプロバスケットボールのBリーグのチームがあるんですけど、当時はBリーグ以前の分裂したbjリーグ時代のチームで、そのときはクラブの体制も整っていなかったこともあり、資金的にも良くなくて、選手たちにスポンサー集めをさせたうえに給料未払いみたいなことが起こっていた。そんなことを、僕が普通に練習の取材に行ったら選手自身がカメラの前でしゃべるんですよ。それ自体ありえないことだったと思いますが、その問題をニュースで報じました。すると、先輩の記者が、「お前、スポーツキャスターなのにこんなことやってる場合じゃねえぞ」と言う。当時の富山グラウジーズのGMがその先輩と知り合いで、そのＧＭが怒っている、と。「お前、謝りに行け」と言われたんですが、拒否しました。

僕としては何もおかしいことはやっていないと考えていたので、当然のように報じていたんですけど、周りの空気は冷ややかでしたね。社内もそうですし、同じようにスポーツ取材をしている他社の人たちからも、僕は引いた目で見られているのを感じていました。

でもそのころになると、周囲の目はあまり気にしないというか、大勢に同調して流されることの怖さのほうが常にあったので、自分の立ち位置が変に揺らぐことはなかったですね。給料未払い問題を報道した後、僕がそのＧＭに会見で質問すると、ＧＭはあからさまに、「あなたの質問には答えたくないです」と他社の記者がいる前で取材を拒否しました。

いまからすると、菅首相が望月衣塑子さんにとる反応に近かったかもしれません。また、昨年末に朝日新聞の三浦英之記者と対談した際、三浦さんは、自分たちに不都合なことは答えなくてもいいという中央の誤った認識が、いまや地方にまで広がってしまっていると体験的に語っていました。

こういった平然とした隠蔽、また**国民やメディアからの批判や問いをスルーして恥じない態度**は、いまや日本中に蔓延しています。そのとき、ＧＭに対して僕も反論し、食い下がったのですが、結局何も答えてもらえないまま会見は終わりました。どういう立場の人でも、権力の側にいる人は、都合の悪いことを指摘されるとそういう拒絶反応を起こす傾向があります。僕はそれをスポーツの世界でも見てきました。

分業化された大きな組織より、何でもやらされる小さな組織

三年目からは報道に移りました。ローカル局のチューリップテレビは平成元年開局で、全国的にもいちばん小さい放送局と言われるくらいの規模なんです。キー局とか準キー局とかではありえないことですが、分業化なんてものはなくて、記者でも、アナウンサーでも、取材もするしカメラも回すし編集もする。何でもやらないとダメなんです。それが結果的に自分にとっては大きくて、すごく大変なんですけど、映像のことも理解できるし、原稿も書けるようになるし、しかも編集もできるようになる。そうなると、ある程度自分の好きなように番組をつくれるんですよね。

ただ、編集作業というのは基本を覚えるのは簡単ですけど、自分なりのリズムやテンポを身につけてテクニックとして確立するには時間も労力もかかるので、億劫になってそこには手をつけない人がけっこういるんです。だけど、それができたことによって、いま自分はこうやって映画もつくれているということがある。だから、そういう環境に身を置けたのは良かったと思います。

じつは二〇二〇年四月にチューリップテレビから石川テレビに移籍するときに、キー局や準キー局の人たちから「製作スタッフが変わるから、これまでのようにはいかないだろう。とくに編集マンが変わるのは痛い」と言われました。でも僕からすれば、それは分業化された大きなテレビ局の発想であって、的外れでした。大きな局のドキュメンタリーはディレクターがほぼ編集しないので、編集マンの色が濃くなりがちです。でも、僕の作品は僕が取材して僕が編集するので、おのずと僕の色が濃くなります。もちろん、製作の途中や終盤には編集マンを入れて意見をもらいますが、基本的に編集作業は自分で行います。会社が変わろうが製作スタッフが変わろうが、僕の作品は僕のテイストにしかならないんです。編集とは、理屈よりもむしろ感性や感覚が大きな部分を占める作業だからこそ、編集する人間次第で、だれも真似できないオンリーワンの作品が生まれます。小さなローカル局で十七年間コツコツと磨いてきた編集技術は、会社が変わったからといって錆びるものではありません。

話を戻すと、何かやりたいことがある人間にとっては、分業化された大きな組織よりも、何でもやらされる小さな組織のほうが力を発揮できるかもしれない。また、力をつけられるかもしれない。僕にとってチューリップテレビというのはそういうところでした。

それと、チューリップテレビは最後発の局なので、じつはそれほど保守的ではなかったんですよ。やりたいことはやらせてくれる。僕は、上司にこういう番組をつくりたいと言って、断られたことは一度もなかったんです。

『沈黙の山』と逆の視点

僕がつくった番組のことを少し具体的に話してみたいと思います。

富山県では、冬場は閉鎖している立山黒部アルペンルートを通年営業にして、山岳リゾートにする「世界ブランド化」構想を石井隆一前知事が掲げていました。ところがその構想に対して、山小屋の人たち、立山の自然環境を熟知している人たちが異を唱え、安全性などの面で懸念の声が上がっていた。僕は実際に立山黒部の冬の厳しい環境を撮影したり、推進派、反対派両方の意見を聞いて、二〇一八年に『沈黙の山』という番組をつくって問題提起をしました。

この構想を知事がゴリ押し的に進めるのに対して、山小屋の人たちが意見書を出しました。僕はこれは真っ当な意見だと思ったので調べはじめて、構想に疑問を呈する姿勢で報じていきました。県内のメディアは基本的に、知事のプランを「これは夢がある構想だ」と持ち上げたんです。たとえば第一紙の北日本新聞は社説で後押しする。第二紙の富山新聞も同じようなスタンスでやっていました。結果的に県側に立たずに違う視点で報じたのは、日テレ系の北日本放送くらいで、それ以外のメディアは県のアナウンスどおりに伝えています。

そういう状況のなかでチューリップテレビが孤立するかたちで報道していったんですけど、裏を探っていると、県側には星野リゾートを誘致したいという思惑があって、県の会議の最初のメンバーには星野リゾートの星野佳路代表が入っていたんです。その後、本体会議に格上げしたときに、星野代表はいっさい出てこなくなった。これは何かあったんだろうということで調べていくと、前の会議の冒頭で星野代表は、立山黒部アルペンルートは通年営業すべきだと提案している。それに呼応するようなかたちでこの構想が具体的に動きはじめたんですけど、その後、星野代表は実際に春先の立山を視察して、そのときに吹雪いたらしいんですよ。星野代表は趣味で山スキーをするくらいですから山に精通している人なので、そのときにおそらくこれはとても無理だと思ったようなんですね。

僕は直接本人に当てたけど、そこははっきり答えなかった。でも周辺取材をした限りでは、おそらく視察して諦めたのだろう、と。実際それ以降、星野代表はいっさい視察にも来なくなったというのがあって。星野さんは来なくなったけど、県はずっと星野リゾートの幹部を呼んで視察をさせていた。そういうことも情報をキャッチして視察の様子を報じたり、実際に自然環境がこういうふうでは通年営業はとても無理でしょうというのも、春先の立山に籠もって取材して映像化したりして、さまざまな角度からの検証を積み重ねて番組にしたんです。

結果的にその番組を二〇一八年の一二月に放送して、それがきっかけで知事の構想に反対する意見書が県に相次いで出されたこともあって、構想自体は頓挫しました。知事は諦めたとは公言しませんでしたが、外形的事実としては県の予算からも消えました。

僕らの仕事は、富山県民が県のアナウンスに従ってそっち側に偏った視点で物事を見ているならば、逆の視点から伝える、違う視点を提供するということだと思うんです。だから、それを忠実にやっただけなんですけど、そういう本来の報道の役割を果たそうとすると、浮いてしまうという現象が地方でも起こっている。そこに対する違和感は、望月さんが日々東京で感じているものと通じているのかなという気もしています。

現状に慣らされないこと。
些細な違和感を受け流さないこと。
多様な視点を提示すること。

記者として、キャスターとして、表現者として、ずっと三つのことを基本に据えてきました。しかし、いまや日本の組織ジャーナリズムにおいては、そうした基本を貫くことすら難しくなっているのかもしれません。その元凶は報道や制作の現場よりもむしろ、権力者の顔色ばかりをうかがい現場介入をも厭わない経営者にあるのではないでしょうか。

中央であれ地方であれ、時の政治権力を揺るがしかねない映像や情報が報道の現場から上がってきたとき、メディアのトップにいる人たちが腹をくくれなければ、同じことはいつでもどこでも起こります。ハレーションも起きますが、それも含めて変化の中からしか新しいものは生まれません。

笑えなくなるコメディ

『沈黙の山』の二年前の二〇一六年には、富山市議会の政務活動費不正問題を追うドキュメンタリー番組『はりぼて』をつくりました。

ここからはじまるチューリップテレビの一連の報道などによって、市議四〇人のうち一四人がドミノ辞職したんですが、いざ騒ぎが収まってみると、新人ばかりの議会は活力を無くし、市民の議会監視も熱を失っていきました。そして結局のところ、かつてと変わらない利益誘導政治が復活してしまった。辞職ドミノ後、議会改革も行われましたが、むしろ議員の質は悪化してしまうんです。二元代表制として市長との間に緊張関係が必要なのに、市長が若い議員を舐め、議会の牽制能力が落ちてしまった。市民からすると、不正を糺すことは全体の利益になるはずなんですけど、どうしても道路、公民館建設という利益誘導型の地域エゴが優先されることになります。そして議員は結局、地域の御用聞きになってしまう。

不正を追及して浄化したはずが、変わらない政治、変わらない市民、そして無力だったかもしれない自分たちメディア、それらを「はりぼてではないか」と見つめたすえに、二〇二〇年、映画版『はりぼて』がつくられることになるんです。

映画『はりぼて』については硬派なドキュメンタリーをイメージする人が多いかもしれませんが、じつはコメディーとしてつくった作品なんです。笑いが七割、シリアス三割。老若男女問わず映画の世界観に入り込めるよう、エンターテインメントの要素を意識的に盛り込みました。言うなれば、調査報道とエンタメの融合です。日本のテレビドキュメンタリーからするとナンセンスな構成かもしれませんが、記者と権力側のやりとりが純粋に面白かったのでそうしました。記者会見とぶら下がり取材が主な舞台なんですが、官邸記者クラブとは違い台本や予定調和が入り込めない、常にガチンコの現場でした。

すっとぼけてみたり、すごんでみたり、妙に優しくなってみたり。議員たちは記者の追及をのらりくらりかわそうとします。時に、年齢が親子ほど離れた議員と記者が対峙するんですが、忍法七変化を繰り出すようなセンセイたちに対し、記者は淡々と質問を重ね、詰めていきます。強情なセンセイは気づいたら忍法など捨てて、自分の子どもが相手だったら恥ずかしくて言えないような抗弁まで使って、言い逃れを図ります。その攻防をカメラがじっと見つめているので、残酷なまでに本質が映し出されるんです。まさに『はりぼて』です。

コメディー映画にしたのには理由があって、オーソドックスなドキュメンタリーとして描くよりも、笑いを軸に描いたほうが、笑っていた観客が最後に笑えなくなることで、僕らが持つ危機感や状況の深刻さがより伝わると考えたからなんです。硬派なドキュメンタリーを想像していた人たちに、予想通りの硬い映画を見せても響かないものが、予想外のコメディーを見せることで、心を大きく揺さぶり、心の奥深くまで刺激することを狙いました。

不正をした議員や情報漏洩に絡んだ職員を単純な悪者としては描きたくありませんでした。いや、むしろ描けませんでした。彼らの言い逃れを見ていると、どこか憎めないところがあるんです。実際に取材をしても画面を通しても感じる、人間臭さというか弱さというか。血税の着服という、あってはならないことをしているのはたしかなんです。でも、憎みきれない関係性のなかで彼らを取材してきたことを含め、腐敗を許してきた責任が自分たちメディアにもあるという視点ははずせませんでした。

要は複雑なんです。記者は聖人君子やヒーローではないし、一人の人間ですから誰にも言えない闇を抱えていたりもします。不正をした議員だって、家庭や地域では気のよい誠実なおじさんかもしれない。みんな多面性があるんです。

でも、総じてテレビは、正の側面をそぎ落としては負を強調し、負の側面をそぎ落としては正を強調する「善悪二元論」で世の中の問題を切り取ってきました。白黒はっきりさせたり、落としどころを用意したり、複雑な事象を単純な構図に落とし込んできました。見る側にとっては、明快だし、悩まないし、飲み込みやすい。でも、視聴者は気づいていると思うんです。「世の中はもっと複雑だし、そんな単純なものばかりでない」と。もちろん、いたずらにわかりにくくする必要はありません。

ただ、**真に複雑なものを無理に単純化することで、失われ、歪められてきたものがあるのではないでしょうか。**そんな危機感が映画『はりぼて』の表現につながっています。コメディーにした理由もそこにあるんです。

巷に溢れる刹那的に消費される笑いではなくて、見る人の心にじわじわ突き刺さり、憤っていく。『はりぼて』で追い求めたのはそんな笑いです。議員や当局側を「悪」、記者を「善」として描けば、見た人はスッキリするはずです。でも、そうじゃないんです。表層ではなく深いところまで見て、感じて、考えてほしいんです。言葉で簡単に表現できないから、映像で表現する価値があると思います。

悲喜劇としての戦後日本

映画のもとになった番組には、「腐敗議会と記者たちの攻防」というサブタイトルがありました。当時、「はりぼて」の矛先は議会と当局でした。でも、四年が経ちサブタイトルをはずしました。市民とメディアにも矛先を向けるためです。

僕は、議会の腐敗を招いた一因には議員と市民の相関関係があると考えています。長年、地方議員は本来の「市民代表」ではなく「地域代表」として役割を担ってきました。道路や公園整備に公民館建設、通学路にある危険箇所の改善など、地域住民の要望を聞いては当局に投げかけて実現させる。いわゆる「御用聞き」です。地域の声を政策提案につなげるのは議員の大切な仕事ですから、それ自体は何の問題もありません。ただ、そこには市全体を俯瞰するという重要な視点が欠けています。極論を言うと、ある地域にとって不都合なことでも市全体として価値ある政策ならば、議員は積極的に提案すべきだし、地域住民も支持すべきだと思うんです。でも、実際はそうなっていません。議員は地域の顔色を窺うだけの御用聞きに徹し、市民もそうした議員を求める。自分たちの地域だけ恵まれればよいといった偏狭な発想に議員も市民もからめとられてしまっています。

いびつな相関関係の帰結が、不正を認めても辞めない議員であり、不正議員を簡単に許してしまう市民です。議員が辞めないのは、不正をしても地域住民が支持してくれるから。市民が許すのは、不正をしても地域に貢献してくれる議員だから。そんな屁理屈によって、戦後日本の民主主義が支えられてきたのだとすれば悲喜劇です。

そしていま、この国で何が起きていますか。七六年の歳月を経て地域に深く根をはった民主主義は、じつは『はりぼて』だったのではないでしょうか。その『はりぼて』に市民とメディアはもう無関心ではいられないはずです。奇しくもコロナ禍の一年半に政治は大迷走を繰り返しました。歪んだ民主主義に慣らされた先にいったい何が待っていたのかを、ようやく多くの国民が体感したはずです。市民の無関心はさらなる腐敗を生み、取り返しのつかないところに行きつくかもしれません。だからこそ、メディアの責任は重いのです。

映画『はりぼて』の製作著作はチューリップテレビですが、監督の私はいま、石川テレビに籍を置いています。会社を去る決意をしたのちに映画の製作がはじまり、完成を見届けて退職しました。

調査報道がベースの作品ですが、権力追及型のドキュメンタリーにありがちな成果を誇示するものにはしたくありませんでした。

「日本のメディアではじめて取材が許されました」

「資料がはじめて見つかりました」

「私たちの取材がきっかけで明らかになりました」

日本のテレビドキュメンタリーにはとにかく表現が手前味噌で、自分たちの成果を誇示したい気持ちが前面に出すぎている作品が多いですよね。正直、僕はあれにうんざりしています。成果を示すにしても、なぜ、もっとさらりと表現できないのか。そんな勝ち誇った暑苦しい表現を視聴者は求めてないだろうって思っちゃうんです。そこには**市民や視聴者は不在**

で「第四の権力」臭ばかりが立ち込めていて、むせ返りそうです。権威主義に陥っていることに無自覚で、メンツばかり気にしているのが透けてしまっています。

ですから、おのずと自分たちにも矛先を向けました。四年が経っても本質的に変わらない議会と、無関心であり続ける市民。それらを前に味わった無力感。組織ジャーナリズムにおける矛盾や葛藤。これまでテレビが忌避してきた要素を入れ込みました。だから、僕が仲間に退職を告げるシーンも外しませんでした。業界の大先輩からは「お前は移籍したからいいかもしれない。でも、残った人間を守るために違う表現を選ぶべきではなかったのか」と苦言を呈されました。でも、賛否を呼ぶことを覚悟のうえで、製作チームのみんなで選んだ表現でした。

高まるメディア不信の根源は、組織に守られた記者たちが安全地帯ばかりで取材していることにあると思います。リスクを取らずに火の粉をかぶらないのは、一般企業なら褒められた処世術かもしれません。でも、記者は社会的使命を負った報道機関に所属しています。社内外の権力の顔色ばかり窺い、忖度し、聞くべきことを聞かない。そして、本来はガチンコの会見がいつしか予定調和になり、慣らされていきます。

悪夢のごとき『はりぼて』

映画『はりぼて』のいちばんの主人公は、じつは市民と言ってもいいと思います。地方政治の悲喜劇を最初は笑って観てくれているわけですが、だんだんと胸にこたえて笑えなくなってくる。全国の人が観て、自分の街でも同じことが起きているのではないかと感じ、そこから何かが変わってくれないかと僕は思っています。

ことは地方だけの問題ではないと思います。**菅政権もまたはりぼて**に見えます。国民の命と生活を守るためのコロナ対策がことごとく後手後手で、その挙げ句、国民の命と生活を犠牲にしてオリンピックに突き進んでいくわけですから、民を守るという政治の基本がまったく空洞だったというわけです。

『はりぼて』をめぐって、ドキュメンタリーの大先達である田原総一朗さんと対談した折、「あなたなら国政版の『はりぼて』をどう描くか?」と問われ、僕は、

「悪夢として描いてみたいです」

と答えました。

国家を揺るがす緊急事態に、この国の中枢で起きている出来事はまったく笑えないコメディであり、もはや「悪夢」としか言いようがないからです。民主党政権を「悪夢」と批判し

てきた安倍前首相は、コロナ禍に「アベノマスク」や「うちで踊ろう動画」といった失態を重ね、政権を投げ出しました。そして、菅政権の大迷走です。

東日本大震災時の民主党政権と、コロナ禍の自民党政権は、いったいどっちをどう評価すべきなのか。僕なら、首相会見と官房長官会見を軸に、記者たちの言動と政権が打ち出した政策について、二つの時代を対比するドキュメンタリーをつくってみたいと思います。そこからは、この国で平時に根を張り、非常時に混迷を深めてきたものの正体が浮かび上がるのではないでしょうか。

もちろんタイトルは『悪夢』です。

第三章 権力を監視するメディア再生のために

メディアはめちゃくちゃな政権を批判できていない

望月　これだけ反対の声が上がり、国民が不安な思いを抱え、海外から厳しく批判され、閣僚にすら止めるべきだと言う人がいるのに、コロナ感染拡大のなかでオリンピックが強行されました。「安全・安心」と言いながら国民の命を大事に思わない菅政権というのは、いったい何なんでしょうか。

五百旗頭　国民は五輪はあり得ないと感じていた。この絶望的な距離感は、日本の民主主義が決壊したことを示していると思います。

安倍前首相は、雑誌『Hanada』での対談で、「歴史認識などで一部から反日的ではないかと批判されている人たちが、今回の開催に強く反対している」とまったく根拠のないトンデモ発言をしました。国会で一一八回虚偽発言をした人が、こういうことを言っているわけです。

望月　民主党政権を「悪夢」と言い、秋葉原駅前で応援演説中の自分に否を突きつけた人たちを「こんな人たちに負けるわけにはいかない」と言った安倍前首相ならではの論法ですよね。

菅政権になってからの学術会議任命拒否問題は、真っ当なリベラルな学者を「体制から逸脱した存在」だと決めつけることでもあり、安倍流のレッテル貼りのやり方が見事に引き継がれたと思います。安倍氏のまさに「反日的」発言は厳しく批判する必要があると思う。

大きな問題は、二代にわたるめちゃくちゃな政権を、メディアが有効に批判しきれていないことです。コロナ禍と五輪に関心が集まる一方、政権が着々と進めていることがある。それは強権行使という意味では五輪に突き進んだ政権の本質とつながっているんだけど、次々と法案が出てきた国会において、メディアのチェックが追いつかず、十分に批判されてないことでもあります。

たとえば、菅氏が直轄する「デジタル庁」新設を柱とするデジタル改革関連六法が五月に可決し、デジタル庁は九月に発足しますよね。周りの官僚に聞くと、わりと皆なめてて、「できやしない、そのうち倒れるだろう」と言ってたんですが、実際には九月発足みたいなスケジュールだから、そういうスピード感だけはある。コロナ対策、ＰＣＲ検査拡充やワクチン接種はなかなか進まないのに。

五百旗頭　やってることが筋違いで間違いだらけですよね。

望月　そうなんです。デジタル庁こそ怖いですよね。国民の個人情報をはじめとしてあらゆる情報が一元化されて官邸・内閣府に集約されるのに、悪用されたときの罰則などがまったく考えられていない。

ただコロナ禍での職不足も手伝ってか、民間人材の公募の第一弾では、三〇人の枠に約一四〇〇人が応募したそうです。テレワークに加え、非常勤職員には兼業・副業も認め、先行採用者には週二、三日勤務して、あとは民間のベンチャー企業で働く人もいるそうです。九月の発足時の人員は非常勤職員ら含めて約五〇〇人を想定しているようです。

個人情報を官邸を介して警察とも共有

五百旗頭　そのあたりの議論はおよそ不十分ですね。

望月　私もずっと取材しているんですけど、状況に追いつけないというか。

五百旗頭　他に問題がありすぎるからですかね。

望月　朝日新聞政治部の南彰記者に聞くと、彼はデジタル改革関連六法をめぐる国会をずっとウォッチングしているなかで、これはとんでもない法案だなって思うようになって、識者にインタビューして紙面に載せたりするわけですけど、そのときはもう衆院を通過する直前とかになっている。だから、はっきり言ってメディアが追いつけていない。公文書関係の先生たちや、情報管理のスペシャリストたちのインタビューを見ると、恐ろしいということに尽きるんですけどね。オンライン化による行政の利便化という美名のもとで、デジタル庁は個人情報を掌握し、その情報を官邸を介して警察とも共有し、国民監視を強めるという流れが確実にできてしまうと思います。

新法案で統一化されるルールでは、人種、信条、病歴、犯罪歴などを「要配慮個人情報」として、不要な取得はしないとしてますが、収集禁止の「原則」は記していません。NPO法人「情報公開クリアリングハウス」の三木由希子理事長は、朝日新聞の取材に「自治体が条例でつくってきた個人情報保護の原則が吹き飛ぶもので、個人情報の規制緩和だ」と批判しています。国会審議でも、中山泰秀防衛副大臣は、「国家的なリスクになる場合は、差し控えなければいけない答弁もある」などと答弁しており、政府が実際、どういう情報を集めているのかを明らかにしていません。

「デジタル監視法案に反対する法律家ネットワーク」の海渡雄一弁護士は、東京新聞の取材に「デジタル庁は他の省庁に君臨する組織になっていく可能性がある。監視国家化への危惧は十分あり得る」と指摘しています。首相直轄という部分も非常に怖いところだと思います。歯止めや罰則がないまま、デジタル庁に集まる膨大な市民の個人情報が、時の権力者の意のままに使われかねない可能性を含んでいますから。

五百旗頭　デジタル化というのは情報開示が前提にあってはじめて意味を持つと思うんですが、いまや日本の行政は隠蔽が当たり前で、そのうえ改竄や破棄まで横行しているわけですから、デジタル庁が国民のほうではなく、政権のほうばかりに向くのだろうという危惧は当然だと思います。

望月　そういうさまざまな権力強化を、コロナのどさくさでやってしまおうというのがありますよね。国民の関心がコロナばかりに向いてる隙を狙って。本来は、菅政権の本質という意味ではつながっているわけだから、メディアがそれを暴く批判の視点を提起しなければいけないのに、それができていない。

改正少年法も五月に成立して来年四月から施行されるんですけど、なかなか注目が集まりません。一八歳、一九歳の厳罰化を進めて、これまでの少年法の、刑罰よりも教育的な矯正をという考え方がある意味捨てられてしまったわけだから、未成年をとりまく社会環境がガラッと変わっていくことになるというのに。

私が取材している入管法改正も、反対運動の高まりのなかでいったんは見送りになりましたが、メディアの発信も国民の関心も、当初はとても弱かったと思います。そもそも入管法って、署名活動なんかでも集まりが悪くて、日本では外国人問題は他人事感が非常にあるような気がしています。リベラルな活動や発信をしてる市民の何人かにこの問題についての署名をお願いしても「知識不足ですみません」と断られたこともありました。いろんな社会問題に関心を向けて活動しているリベラルな市民でも、「入管法改正反対に賛同してもらえないですか」とお願いすると、「この分野は不勉強だから」とか「ごめんなさい。外国人の入管のことだとちょっとわからなくて」と返ってきました。こういう人にとっても遠いなら、世の中的にはほとんど関心が向けられないのかもしれないなと痛感すると同時に、まだまだメディア側の世論への訴えが広がっていない、やるべきことができていないと思わされます。

都合のいい労働力として使うばかり

望月　メディアでも、リベラルに見える週刊誌の編集長が、排外主義の標的になったフィリピン人一家についてのルポ企画を、「いや、フィリピン人というと読者から遠くて、共感が得られにくいから」と言って断ったという話を聞いたことがあります。企画の可否は編集長が自由に決めることでしょうけれど、この理由というのは考え込んでしまいますね。

五百旗頭　信じがたい判断基準ですね。無意識の排外主義すら感じてしまう。

外国人問題を遠くさせている感情的な理由を考えると、排外主義は論外ですが、コロナ時代に外から入ってきてほしくないという漠然とした感覚と、不況のなかで仕事を奪われるのではないかという警戒心もあるかもしれない。

望月　二〇一九年の入管法改正によって、日本社会は新たな在留資格「特定技能」を設けて外国人労働者の受け入れを解禁したわけです。五年間で三四万人の特定技能外国人を受け入れると言って、昨年二〇二〇年は、一七二万人の外国人が入って来ているんですよね。

建設現場や二四時間営業のコンビニやレストランにしても働ける人材が足りない、だから必然的に外国人労働者に助けてもらわなければいけないというのが現実なのに、移民とは言えないから一時的に働かせる労働力として「特定技能」とか「留学生」という枠をつくり、ごまかしている。

でも、実際には、取材しているとわかりますが、できる外国人労働者ほど五年とかでなく、延長していてもらいたい、できれば働き続けてほしいというのが企業の本音。実態としては、彼らは移民労働者だと思います。それは安倍前首相も菅氏もわかってるわけだけど、保守派の反対が強いこともあり、移民だとは絶対に認めようとしないし、基本的人権を持つ労働者として、社会を構成する一員としてきちんと迎え入れようともしない。

本来は移民基本法を作って、外国人労働者をどうやって受け入れて、社会保障を行っていくかを考えていかないといけないのに、政府は、財界の言われるままに都合のいい労働力として使うことしか考えていない。だから外国人労働者の受け入れ態勢は、ドイツや韓国など移民労働者の受け入れが進む国と比較しても、語学や文化を学べる講習の機会や福利厚生などの制度の面をみても、ものすごくチグハグで歪んでるんですよね。

楽天の三木谷浩史氏とかサイバーエージェントの藤田晋氏とかがメンバーの「新経済連盟」という、経団連よりも改革派というか新たなタイプの財界人が集まっている団体は、

「日本は実質的に移民受け入れ拡大に舵を切りながら、移民政策が存在しないため、在留資格制度・社会統合政策などが歪む。移民受け入れを正面から位置づける『移民基本法』を制定して、客観性・透明性のある戦略的な受け入れ態勢をつくるべきだ」と、移民基本法をつくらないと日本の経済は回らないと提言しているのですが、政界からも財界全体からも食いつきが良くないと聞きました。

メディアには経団連担当の記者はいっぱいいるけど、新経連担当の記者は少ないから、報道も不十分、経済を変えていくには、財界の新たな動きや主張をもっとメディアでも取り上げていくべきではないかと思います。

難民的な存在を日本から排除するという方向

望月　財界の人たちのなかには外国人労働者の問題については、きちんと現状に即してわかっている人がけっこういるんですよね。だけど一方で、入管法の改正や、長期収容の実態や、ハンストで餓死者が出たということを話すと、「在留期限を越えて滞在しているオーバーステイの奴らを、なぜかばうんだ」というような、バックラッシュも強いそうです。「やつらは入管法違反で法律違反なのだから」と。

政界も財界もメディアもこういう状況だから、難民認定率が〇・四パーセントと欧米の二〇パーセントや五〇パーセントと比べても極端に低いこととか、そのあまりの低さを国連の人権理事会などからたびたび指摘されていることは、外に置かれてしまっているところがある。菅氏が五輪を強行開催したことで、開会式をはじめ、日本人の外国人や女性、マイノリティーに対しての人権意識の希薄さが露呈し、恥ずかしいぐらい世界のメディアに書き立てられたのは、結果としては日本の社会を変えていくためには良かったとも思えます。

難民認定率の低さは日本に経済的な移民政策が根づいていないことと深く関わっていると思います。どう伝えていけばいいか、しかし難しい。でも取材すればするほど、彼らが置かれている処遇はひどいものであることを痛感します。

入管は、オーバーステイなどの理由で、在留資格がない非正規滞在者を行政権限によって全国九ヵ所以上の施設で収容しているわけですが、二〇一八年、東京オリンピックに向けて「世界一安全な国、日本を創ろう」と、法務省、厚労省、警察庁の三省庁が、入管の取り締まりを強化するという通知を出している。

「コロナ禍と五輪」についてはこれだけ話題を集め、それは当然のことなのですが、入管のことと掛け合わせた報道は少ない。施設への収容という行為は、刑事手続きであれば裁判所の令状が必要なはずですが、入管では不要で、すべてが入管職員の判断、裁量に任されている。警察官、検察官、裁判官の役割を、入管が行っているので、チェック機能が働かない。

入管側の裁量でどうにでも被収容者を扱えるなかで、収容されている六割が刑事犯的な人ではなくて、在留許可が得られないなかで日本に家族がすでにいたり、難民認定が通らなかったりという状況で、海外だと三ヵ月や半年と決められているような、収容での上限規制もありません。

日本の入管施設の実態は、生命や自由が脅かされかねない人々（とくに難民）が、入国を拒まれたり、それらの場所に追放したり送還されるのを禁止する国際法上の原則「ノン・ルフールマン原則」にも反していると指摘されています。じつに深刻な人権侵害が、入管や収容施設での対応で行われていると思います。

五百旗頭　いま明らかに入管政策が厳格化されていて、難民的な存在を日本から排除するという方向に向かっていますよね。

望月　被収容者が抗議のためハンストを行う例も多く見られましたし、今年二〇二一年三月には、名古屋入管に収容され、体調不良を訴えていたスリランカ国籍の女性ウィシュマ・サンダマリさんが亡くなるという痛ましい事件も起きました。

五百旗頭　入管がらみの問題って、ローカル局はけっこう番組にしてるんですよ。メ〜テレ（名古屋テレビ）がつくった『面会報告』という番組は、名古屋入管に収容された外国人に面会を続ける日本人女性を通じて入管行政と外国人の置かれた状況や、中国人留学生の切実な事情を映し出していました。

また、キー局でもテレビ朝日は『東京クルド／TOKYO KURDS』という番組をやってギャラクシー賞を獲ってました。つくったのはドキュメンタリージャパンの人だったと思います。三〇分番組でしたが映画っぽいつくりで見ごたえがありました。映画化されて今年七月から全国公開されています。

テレビドキュメンタリーも外国人労働者問題を取り上げてはいるんですけど、なかなか社会的なテーマとしてはクローズアップされないという面があります。

「政権批判なんかして大丈夫ですか？」

望月　そうなんですよ。外国人が増えれば増えるほど、他人事感がなくなっていけばいいと思うんですけどね。

五百旗頭　コロナじゃなければ、もう少し関心を集めたんでしょうか。

望月　どうだろう。クルド人のデニズさんが、民事裁判で収容中の暴行について訴え、拘束されている動画を証拠に出し、二〇一九年、「ｎｅｗｓ23」がその動画をそのまま放送しました。すごい反響があった反面、この動画を流した「ｎｅｗｓ23」バッシングが非常に激しくなったらしい。

デニズさんたちが会見して、難民認定されない人たちと弁護士が並んで「入管法改悪に抗議する」と主張したとき、さまざまなメディアが来ていました。

しかし、あるテレビ局の記者の話だと、「ｎｅｗｓ23」でデニズさんのことを報じたときのネットなどの批判的な反応、「クルド人をこんなふうに持ち上げてどうするんだ」「反日」などのバッシングがあり、みんな怖くて入管問題について長い時間は放送できない、と。その記者は社会問題に非常に関心が高いので、番組のなかで三〇秒で短く出した。そうしたら、やはり批判的なコメントも多かったらしく、彼女は「ネットを含めて組織的にやってるのかもしれないけど、ちょっとびっくりした」と言ってました。

どうしても外国人を差別的、批判的に見る側の反発が強く、テレビ局はどこも及び腰になっちゃうのかなと思いました。排外主義的な人たちの書き込みや嫌がらせが安倍前政権下では一気に進み、分断が続きました。まだその余波が菅政権でも強く残っていると感じるし、日本のコロナ禍で混沌とした政治・社会・経済状況のなかで、人々の不満や鬱積した怒りが、立場の弱い外国籍の方々に向かっている、ある種、不満のはけ口にされてしまっているようにも感じます。しかし、こんな激しい時代になってしまっているからこそ、なんとかしないといけないと感じます。

五百旗頭　政権批判や歴史認識や、さまざまな社会問題に踏み込もうとするときに、「右翼を刺激するべからず」で皆及び腰になるのと一緒ですね。

望月　五百旗頭さんは、ツイッターなんかでも旗幟鮮明に主張されてるけど、いまの石川テレビでは変に目をつけられたりはしませんか？

五百旗頭　上司は「誹謗中傷やデマを流さなければ、自由にやっていい」と言ってくれていますので、すごく理解があります。

僕は今後、ドキュメンタリー番組の価値を高めるために、まず国内で映画化して、その後、海外にも発信していきたいと考えていて、その宣伝ツールとしてもツイッターは持っておいたほうがいいでしょうと先に言ってあるから、会社はそこも含めて理解してくれています。むしろ同業他社の人たちが「政権批判なんかして大丈夫ですか？」とか「あんなことつぶやいて大丈夫ですか？」と言ってきますね。でもおもしろいのが、その「大丈夫ですか？」って言葉に含まれるのは、じつは僕のことを心配してくれているんじゃなくて、僕の身によくないことがおきるのではないかっていう野次馬的関心なんですよね。それは声のトーンや表情を見ればわかります。いかにも同調圧力や忖度がまん延した組織メディアの人間らしいというか。自分たちは何も発言しないけど、積極的な言動をとる人間がミスしたり叩かれたりするのは見てみたいっていう、ワイドショーの視聴者みたいな感じです。

僕はむしろ、「あなたたちのその感覚こそ大丈夫ですか？」と思うんですよね。だって政府だろうが、知事だろうが、企業だろうが、権力のふるまいに疑問を感じたときに、一個人として「それはおかしい」「こうあるべきではないか」と考えを述べることに何の問題があるのでしょうか。ＳＮＳだからだめなんですか。要はそういう人たちの発想って、権力を批判した自分が社の内外から批判されたり、後ろ指をさされたりするのが怖いだけなんだと思うんですね。日本のムラ社会で見られる典型的なリスク回避行動です。でも、権力監視の役割を担う記者がその感覚でいいのでしょうか。僕はこの国にただよう閉塞感の一因はこういうところにもあると思っています。普段、報道の自由だ、表現の自由だと主張している人たちが、自分の考えは表現しない、できないなんて。悪い冗談ですよ。

血を流しても流れを一掃するチャンス

五百旗頭　いまテレビ業界は存続の危機に立たされてると思うんです。たんにメディアとしての大きな転換点ということではなく、政権との関係で。安倍政権になってからの高市総務相の振る舞いなんて、ひどかったじゃないですか。政治的な公平性を欠くと判断した番組に対しての電波停止命令までちらつかせたりした。でもそういう総務省の人たちも放送関連会社から接待を受けてたことが露見したわけで、だからもう、いまの時代の報道というのは完全に歪められているんですよね。テレビ業界はそういうところに置かれている。だからこそ、そこにいる自分たちは血を流すかもしれないけど、この流れを一掃するチャンスだと思うんですよね。

望月　ほんとにそうですね。メディアの死活問題はここにある。

五百旗頭　菅氏みたいな人が強大な権力を握って、放送業界を牛耳ってしまってるわけなので、それはやっぱり正さないと。表向きは通常の人事異動というかたちをとったりしながら、いまどんどん番組が歪められていってますよね。

望月　新聞に引きつけて言うと、会見のときの政治部記者を見ていても、やはり権力に飼い慣らされている、厳しくものが言えなくなっているという空気感はすごい。五百旗頭さんみたいに、自分の血を流してもこの強権支配を変えようと思っている人がどれくらいいるか。

このところの重要なスキャンダルは、東北新社の総務省接待も河井克行の参院選大規模買収事件も、全部「週刊文春」、いわゆる文春砲が火をつけてますよね。東北新社の後に出たNTTによる総務省接待なんかも、接待したのはわかっても、接待のメニューまでが出てきて最後に赤ワインのシャトーマルゴー一二万円って、そんなディティールのウラまで取れているというのは驚愕しました。政治部の記者に聞いてみると、国会で動いてるネタが自分たちではなく文春によって回っていて、政治家も日々「明日の文春砲はどうなるんだ？」って話だから、はっきり言って政治部からすると自分たちがアウトオブ眼中になっていると凹んでいました。

「文春砲の時代」は、記者クラブメディアの屈辱

望月 でもこれはある意味で必然というか、文春はこの四、五年、政権に忖度せずにスクープを打ちまくってますよね。変な報道、差別的な報道もいっぱいありましたけど。でも記者クラブに属さない文春、あと学術会議問題をスッパ抜いた赤旗、そういう外部にいる報道機関は調査報道をきっちりできていて、まさに国民が「え！」となる関心事を撃ち抜いているという状況が、私たち記者クラブメディアに突きつけるものはじつに重いわけです。

私たち新聞記者のなかには「記者クラブの中だけでネタを取って、横並びを含めて競いあっていればいい」みたいな空気はたしかにあったけれども、もはやそれでは世の中から必要とされないし、現実的に何も変えられない。文春砲で国会が日々回っているようないまの状況には、あらためて記者クラブの問題や弊害が見え隠れしていると思うんです。

五百旗頭 「文春砲の時代」は、記者クラブメディアからしたら屈辱じゃないんですか。

望月 屈辱ですよ。悔しいですよ。

五百旗頭 たぶん新聞記者は、これまでずっと週刊誌とかを下に見てきたわけじゃないです

か。でもいま、時代は週刊誌のほうが回している。

望月　そうです。森友・加計疑惑のときは朝日が先行していたところがあったけど、いまとなってはその多くが文春だったり赤旗だったりします。

五百旗頭　しかも現状は、内部告発のリーク先が大手メディアには向かわずに、文春に行っているということですよね。それがさらに屈辱的な状況ですよね。新聞の力に対する信頼感が失われているわけじゃないですか。

望月　悔しいけれど、言われるとおりです。でもこの悔しさから、新たに打って出ないと。朝日新聞が特別報道部をやめてしまった。これも衝撃です。朝日新聞が原発報道で「手抜き除染」を抜いてたころはタレ込みものすごかったと聞きます。それが「所員が所長命令に違反して撤退した」という吉田調書報道の取り消し、慰安婦問題での訂正謝罪、池上彰氏のコラム取消指示などで一気に世論の批判が集中して以降のタレコミが激減していったと聞きました。記者たちも尻すぼみになってしまった。

五百旗頭　吉田調書報道取り消しは、報道のすべてを否定してしまったからだめだったという気がします。

望月　そうだと思います。あの時期の朝日は、吉田調書報道取り消しがあって、従軍慰安婦の吉田証言検証記事があって、池上彰氏が慰安婦報道について「謝罪すべき」と書いたコラムを載せなかったことが続いたでしょう。内情を聞くと、池上彰氏の件はまさに木村伊量社長の命令で、社長周辺の忖度もあったのか、それで「載せるな」ということだったと聞きました。

慰安婦問題検証記事も木村社長がやらせたんだけど、それは半分安倍前首相にけしかけられたところもあると聞きます。木村社長は安倍前首相とつき合いがあったと。でもあの検証記事を出したときは辞める必要はないと木村氏自身は思っていて、ただ池上彰問題は社長も絡むような話なので下手すると辞めなければならなくなる、と。

そういうなかで吉田調書の問題だけは社長が絡んでないから、現場レベルでは「お詫びと訂正」でいいだろうと思われていたものが、上に上がった瞬間、「撤回しろ」となり、記事の取り消しとお詫びになっていったと。

きちんと訂正すればそれで良かったのではないか。その後、この問題を機に、安倍氏が一部メディアを味方につけ勢いづいていきました。以降、朝日新聞の特別報道部で調査報道ができなくなっていったと聞きます。日本の調査報道やジャーナリズムを考えたとき、やはり記事の撤回はすべきではなかったのではないかと思わずにはいられません。

朝日新聞とメディアの自滅

五百旗頭　吉田調書の存在自体が朝日の報道で世に出たわけだし、取材の積み重ねもしていたわけじゃないですか。だけど、取り消しによってすべてが失われてしまう。

望月　と私も思います。これまで積み上げてきた調査報道の歴史を潰すことになってしまったと感じます。

五百旗頭　誤った部分は訂正し、評価すべきところはしなきゃいけないと思うんです。それを一括りで、朝日憎しの流れにもっていかれちゃった。

望月　朝日新聞を「誤報」として、読売新聞、産経新聞が次々に朝日に批判的な記事を書きました。毎日新聞もそれに乗っかった。日本のジャーナリズム界全体の危機になるという意識をあの時点で他社がどこまで共有できていたのか。朝日新聞をなんとしても潰したいと思っている安倍氏前首相だけはほくほく笑顔だったのでないでしょうか。

安倍氏は官房副長官時代に、拉致問題を背景に盛り上がった日本の極右的な空気に乗じて自らの存在を押し出していきました。その直後の幹事長代理時代、安倍氏はＮＨＫの番組に介入しました。二〇〇一年に放送されたＥＴＶ特集『戦争をどう裁くか』の第二夜「問われる戦時性暴力」は、まさに従軍慰安婦問題です。あそこで安倍氏はメディアに介入する「作法」を身につけ、手応えをつかみました。あのときの安倍氏の動きと、あれ以降の日本社会の動きを改めて、しっかり見ておく必要があるという気がします。

五百旗頭　あそこである意味、歴史認識をめぐって、政権のメディア支配について、一つの翼賛的な流れができた。それがいまも踏襲されているのかもしれない。

望月　番組のプロデューサーの永田浩三さんたちが辞めざるを得なくなっていくというのは、いま考えても痛恨事です。ツイッターとかで情報と問題意識を共有できるネット時代だったら、もっと変わったかなとか思ってしまう。番組介入問題について、当時、闘っていたのは朝日新聞でしたよね。他社はあの問題については見て見ぬふりという感じだった。

五百旗頭　過去の問題にしても、自分なら当時どう関われたかという観点から考えてみる姿勢も必要ですよね。

望月　そうですね。朝日の「記事取り消し」みたいなかたちではなく、自分たちを厳しく見つめ直すことは絶対に必要だと思う。最近、自民党だけじゃなくて、立憲民主党の問題点をいろいろ聞くようになったんですけど、野党番は野党らしく厳しく突っ込めばいいのでは、と私が言うと、野党番は野党番でずらっと囲むばかりで、突っ込んだ質問をやはりなかなかできないらしいんです。

五百旗頭　野党側にも忖度があるんですか。

望月　入管法でも、立憲のなかには与党案を呑んでしまえという話もあったらしいですから、「そんなのおかしいでしょ。突っ込めばいいじゃないの」って私は言うんだけど、それができていないと。与党も野党も政治部の番記者は、やはり政治家との人間関係を続けながら取材しなければいけないので、いろいろと厳しいのだなと感じました。

歌舞伎のような劇団記者クラブ

五百旗頭　民主党政権時代にも権力の腐敗は大いにあったわけだから、結局そういうメディアでは権力は追及できないということになってしまう。

望月　メディアがはたして権力の瑕疵をチェックできてるのかという自己検証と同時に、野党の支持率がなぜ伸びないのかという問題も指摘していかなければいけないですよね。

五百旗頭　記者クラブにいる総理番なんかは、とにかくぶら下がるじゃないですか。そこでしか取材しないというところが問題だと思います。

望月　番記者制度とぶら下がり取材が、ジャーナリズムの足元を弱めてしまっているようにも感じます。もう囲みとかはやめたほうがいい。第一章で触れた入管法改正の問題をやるようになり、通っている法務省の記者クラブも同様です。社会部の検察・司法担当出身の記者が多いところですが、法務官僚と日々、顔をつきあわせているせいか、批判的な質問をほとんど聞かない。私やフリーランスの方が聞かないときは、よく幹事社の一問で終わっていることもあります。

書かなければいけない記事の出稿量が多くて、一つ一つの法案とか制度に首を突っ込んで批判するような時間がないのかもしれないですが、法務省の中にある問題を掘り起こして斬り込むというより、法務省と一緒に動いて法務省の動きをひたすら書いているという印象を持ちました。

上川陽子法相が、七月一六日の閣議後会見で、五月一八日にウィシュマさんの遺族と指宿昭一弁護士と会談した際、ウィシュマさんの妹ら遺族の肩を抱き寄せてお悔やみを述べる一方、指宿弁護士とは目も合わさず、挨拶もしなかったことを問題視して聞きました。「人としてしっかり対応させていただいた」と、とぼける上川氏に「では、挨拶や名刺交換はしたのですか」と、私が追加して聞くと、「個別に会ったことで、お答えは差し控えさせていただく」と上川氏が逃げる答弁を行いました。

ウィシュマさん問題では、弁護団が調査し集めた数々の資料などにより、法務省の中間報告書の疑問や問題点が次々と露呈していったという経緯があります。弁護団の活動がなければ、ウィシュマさんの病状や当時の日誌に託された思いを知ることはとてもできなかったと思います。医師が入管に提出した、診療情報提供書や血液検査の結果など、数々の客観的な資料が出るなかで、入管のウィシュマさんへの非人道的な対応が明るみになっていきました。

客観的な事実を知るという意味で、上川氏は、指宿弁護士側に感謝されこそすれ、無視するような態度が取れる理由など何一つないと思いました。真相を解明するという意味では、指宿弁護士も上川氏も同じ方向を向かなければいけないはずなのに、上川氏の「無視」という態度は、いったいどういう思いからだったのか、最終報告書を発表した後に、遺族や弁護団と会談する場で、再び同じことをやるつもりなのか、率直に疑問をぶつけました。

会見終了後、吉川崇秘書課長が異動の挨拶をしたのですが、上川氏と私とのやや緊迫したやりとりがあったせいか、「いろいろとありがとうございました。まあ、みなさんこれからも仲良くやりましょう」と言いました。その瞬間、記者クラブの記者たちから笑い声が起こっていました。ある男性記者は、私の顔をのぞきながら笑っていました。いったいどういう思いで彼は私を見て笑ったのか。そのときの記者たちの笑いが、官房長官会見での番記者たちの菅氏にあわせていた薄ら笑いとどこか同じように感じられました。

法務省の記者クラブの記者たちもまた、法務官僚と仲良くやっていくことを第一に考えて仕事をしているのか。これでは、法務官僚の意のままに記者が扱われるだけなのに、と愕然としました。上川氏の会見に出はじめた際、法務省でも、記者が事前に上川氏側に質問を出していることを知りました。秘書官側から私も事前に出してほしいかのような打診を受けましたが、「そんなことをやっているから記者がダメになってしまうんです」と反論し、事前に質問を出すことを拒否しました。事前質問と用意した答弁書のやりとりだけでは、活発な質疑にはまったくならず、**歌舞伎のような劇団記者クラブ**のようになってしまう。問題は、首相や官房長官の記者会見だけではないことを知りました。

五百旗頭　もっと市民が生活している他の場所に行って、彼らの声を聞いたうえで、ぶら下がるならわかるけど、総理番は同じところにしかいないから。

望月　政治部の番記者は、その政治家からネタを取るのか仕事ですから、まず嫌われたくないというような心理が働いてしまうのだと思います。法務省は、検事も入管庁職員たちも官僚ですから、もっと是々非々でつき合える人たちだと思うのですが、記者クラブにいる記者は心理的に喧嘩したくない、嫌われたくないという思いが強く働きすぎてしまっている、いい子になり過ぎてしまっているように見えました。政治家も官僚も、良くも悪くもずる賢いところがあり、記者という立場では、嫌われて喧嘩するくらいでちょうどいいというのが私の感覚です。

五百旗頭　それではもはや記者とは言えないですよね。それに加えて、ネットでも何でも、早く出すことがスクープという流れの競争にさらされて、記者クラブに安住していればいいという感覚しか身につかないということですよね。

望月さんは採用の際、記者志望の学生の面接をすることもあるんですか？

望月　本格的で正式な面接じゃないけれど。あと希望者が何人かいるからと、オープンセミナーで話をしたり。

感じるのは、こんな新聞という業界が斜陽な産業になりつつある時代に入ってくる若手というのは、私のころと比べるといろんな記事や本やニュースをよく読み込んでいるし、フリーランスやネットメディアのアシスタントとして学生ながらに仕事をしているなど、現場をすでによく見て取材していたりもするので、意識が高く記者としても即戦力になるような学生が多いように感じました。私はぜんぜん入社前までは、そんな感じではなかったので。テレビはどうですか？

五百旗頭　テレビの報道現場は、別に報道をやりたいからここにいるというわけじゃないケースが多いんです。とりあえずテレビ局に入ってみたい、番組をつくってみたいという人はいるけど、記者をやりたかったという人は意外と少ない。地方局の場合はとくにいないんです。

極端な話、情報源の秘匿や推定無罪の原則さえわかってない人がいたりするんですよ。役所や企業の発表通りにただ情報を流せばいいと思ってる人も多いし、だから、権力を監視するとか、そんな認識があるわけがない。

望月　五百旗頭さんも最初はスポーツを担当していたそうですが、テレビは「ザ・体育会」が入ってくるしね。この人をいかに盛り上げるか、みたいな発想が妙に強くなってしまう。

五百旗頭　取材対象の応援団に成り下がってしまうのって、本当に意味がわからないし、何のために記者をやっているのかって話です。

望月　森喜朗オリパラ組織委前会長の女性蔑視発言についての会見がまさにそうでしたね。森番の女性記者は、当たり障りのない質問しかしていないように聞こえました。普段の関係性の中で厳しく追及するのが難しかったのでしょうが、女性記者が話題そらしの質問をしているのは、衝撃でした。森発言が問題になっているときにぜんぜん関係ない質問をして、「ああ、君のことはよく知ってる」って森氏に言われてましたから。

五百旗頭　今日は望月さんから、政権への強烈な批判と同時に、リベラルとされる市民、野党、メディアについても聞きました。これは、権力に本当に対峙するとはどういうことかという問いかけであり、メディアが本当の批判力を持つには何を研ぎ澄ますべきなのかという話でもあるような気がします。

第四章　自壊メディアの現実を超えて、新たな地平へ

政治部的な取材の弊害

五百旗頭　メディアについてもうひとつ、「総政治部化」という問題があると思うんです。たとえば大阪なんかに政治部的な報道の弊害が出はじめてるんじゃないかな、と。橋下徹知事が誕生して以来、それをすごく感じています。

どういうことかと言うと、それまではあまりなかったと思うんですけど、橋下氏があれだけ注目される知事だから毎日ぶら下がりが発生して、橋下氏の発言だけを取材して言語化していくというのが記者の仕事になっちゃったんですよね。そういう政治部的な取材の仕方が当たり前になり、同時に、大阪の場合はそこに吉本興業なんかとの絡みもある。情報番組でも政治を扱うわけだけど、その出演者の人たちのキャラクターゆえに面白おかしくやることになる。そして、吉本の影響力が大きいから、吉本と仲がいい橋下氏なり吉村洋文知事をどんどんヨイショするような構成になってしまう。そこに対してまったくチェックが利かずに維新の政治家の露出だけがどんどん増えて、いつのまにか「いちばん信頼できる知事」という評価を受けたりするわけじゃないですか。それって、政治部的なやり方がテレビ局内で情報番組をつくっているセクションにも及んでしまって、悪影響が出ているひとつの例かなと思っています。

ところがですね、いまの僕のホームグラウンドである石川県とか富山県とか、地方に行くと、じつはそういう感じでもなくて、知事との会見を見てもけっこう丁々発止のやりとりをしているんですよ。

望月　『はりぼて』を見ると、たしかにそうでしたね。

五百旗頭　最新作の『裸のムラ』(石川テレビ)という番組で、石川県の谷本正憲知事を追いかけたんです。僕は県政担当ではないんですけど、引いた立ち位置から撮りました。県政担当の記者と知事とのやりとりを見ていると、もちろん突っ込んではいるし、知事も答えはするんですが、やはり訊き方に問題があるという感じがする。たとえばケーススタディ的に見ておきたいんですが、二〇二〇年末、谷本知事が九〇人の会食をしていたんです。後援会の、年に一回の集まりをホテルでやった。ちょうど直前に石川県内にクラスターが発生して、国政でも菅首相の五人会食が問題になって、「五人以上の会食はやめてください」と呼びかけたタイミングだったのに、知事が九〇人でやっちゃったという事態だった。それに対して年始の会見で、もちろん突っ込まれるわけですよ。そこを僕は撮ったんですけど、そのとき最初に朝日新聞の記者が手を挙げて、「年末に後援会の方と会食をされたが、新年にあたって会食されるご予定はありますか?」と遠慮がちに訊くんです。一発目の質問がこれなんです。これでは問題意識が突き刺さらないじゃないですか。

望月　あのシーンは『裸のムラ』で見たけど、谷本知事を嵌《は》めようとして質問しているわけではなさそうでしたよね。

五百旗頭　質問でおびき寄せて、そこから突っ込みを先鋭化させようという意図は感じられませんでした。だから、もちろんはぐらかされて終わりです。その記者からは追加質問もない。次に中日新聞の記者が引き取って訊くんですけど、それは要するに「こういう意見もあります」というスタイルでした。「国は指針も示していて、五人以上の会食はすべきじゃないという意見もありますけど、いかがですか」「菅首相は八人会食が発覚したときに、真摯に反省していると釈明する場面もありましたが」と。でも、そうじゃなくて、記者として知事の会食を本当に問題だと思ってるなら、「知事は市民・県民に対して不要不急の会食をやめてくださいと呼びかける立場なのにそれをやってしまっているわけだから、それは説明がつかないでしょう」と鋭く釘を刺したうえで、「私はこう考えます。知事はどうですか?」と訊けばいいのに、何か妙にまどろっこしい訊き方をする。

結局、権力側の答え方というのは、論点ずらしをするわけです。そのときも知事は、カラオケクラスターがどうだとか、新しい生活様式がこうだとか、何かうまいこと、話をどんどんはぐらかしていくんですよ。そのうちに記者も「何を訊いてたんだっけ?」みたいになって、どんどん質問の鋭さが削がれていく。結局は何も突っ込めずに終わってしまうんです。

望月　ひどいね。九〇人の会食は当然大きなニュースになったんでしょう？

五百旗頭　なってますね。

望月　それなのに訊き方が「こんな意見もありますが、殿いかがですか？」みたいな話では、まるで斬り込めない。

五百旗頭　会食について最初に厳しく報じたのは読売新聞でした。県政記者クラブで知事に対していつも厳しい質問をしているのは読売でして、長期県政を検証する骨太の特集記事を連載で出しています。その記者も最後に訊いてるんですけど、彼でさえ質問は甘かった。知事は、ホテルは感染対策をきっちりやってたから別に九〇人でもいいんだという論法だったんですが、読売の記者は「じゃあいま、業界のガイドラインをしっかり遵守している場所で数十人規模で新年会をやってもいいんですか？」という訊き方をした。知事はそこもうまくはぐらかして、結局記者もそれ以上は突っ込めず「わかりました」と終わっていくという流れでした。

望月　じゃあ、谷本知事は謝らない？

五百旗頭　知事は謝らないし、記者が謝らせられない。やりとりは一応なされていて、菅首相の会見みたいに一方向的にはなってないんですけど、ただ、記者側の質問がぼやけている。

望月　なんででしょうね。しょっちゅう顔を合わせてるうちに、知事の人のいいところを知ってるから、みたいな関係になり、批判の刃が鈍ってしまうのか。会見場には、普段つき合ってるのとは別の記者が行ったほうがいいかもしれない。やはり忖度してしまうんでしょうね。

五百旗頭　東京のメディアの政治部も、いまは「見解はいかがですか？」みたいな質問の仕方ですよね。

望月　妙に丁寧なんです。

五百旗頭　丁寧でもいいんですけど、権力を追及する姿勢が感じられない。

望月　その記者の問題意識はどこにあるのかということですよね。でも、問題意識を明らかにすると、「あなたの意見を聞いてるんじゃない」と言われる。

五百旗頭　望月さんみたいに（笑）。

望月　「あなたの意見はいい」って（笑）。でも意見があり、疑問があるから訊くんですけどね。

五百旗頭　その主体性から記者が逃げてしまっている。だから、権力者に逃げ場を与えてしまうんです。そういう政治部的な忖度の作法やおもねるような訊き方が、かなり地方にも蔓延しています。

望月　全国的に、記者に対して、改めて訊き方講座みたいなのをやったほうがいいかもしれない（笑）。

五百旗頭　そんな気すらしますね、いま見ていると。

望月　森喜朗前大会組織委員長の失言についての会見のときも、森番の記者たちはまるで突っ込みがなくて、TBSラジオの澤田大樹さんなんかのほうがずっと厳しく突いていた。森番の人は弱々しいし、話題を変えるし、結局腰砕けになっちゃうんですよね。意図してはいないかもしれないけれど、その人の人柄を知ってるがゆえに追及の姿勢が弱まるというのは、相当あると思います。五百旗頭さんなんかがガンガンやっていくしかないのかな。だって彼らはもう変われないかもしれないから。

五百旗頭　望月さんとか僕とかが単独で突っ込むだけでなく、やはりメディア全体としても、政治部的な取材手法が変わっていってほしいですね。

コロナでムラ社会が顕在化

望月　評論家の佐高信さんや元朝日新聞の早野透さんの話だと、かつての政治部記者は、政治家と密接につき合うけど、やるときはやる、抜くときは抜くという気構えがあったというんですよね。その緊張関係は自民党の政治家も共有していて、記者というのはいざというときには自分たちを批判する存在だと認識していたとも聞きました。政治家としても、ふだんは自分自身をある程度記者たちにさらして親しくもするわけだけど、それでも記者というのは、やるときは徹底的にやるものだという了解があったというんです。いまの政治部はそういう気風はほとんどない。飼い慣らされているだけのように見えてしまいます。

五百旗頭　そこはすごく大事なことだと思います。『裸のムラ』を撮っていたとき、取材対象との距離ということを改めて感じたんです。

「ムラ」というタイトルにはさまざまな含意があるんですが、否定的な側面で言えば、コロナによって日本社会は「ムラ社会」だということが改めて明らかになったということがあります。

番組では、谷本知事を撮ったし、それからバンライファーと呼ばれる車で生活する人、そしてムスリムの家族のことも取り上げて、それぞれコロナ禍における生活、価値観などを追っていきました。谷本知事に関しては、勝手に裸になっていった。長期県政のなかで周りが彼を忖度するから、自分から裸の王様になっていったわけです。

コロナ禍ではけっこうキャンピングカーが注目されています。バンライファーの生活は、密にならないし、自由にどこにでも移動していける。そして彼らは、移動した先々で仕事をします。そういう生き方もある。ムスリムの家族は、父親が日本人で母親がインドネシア人なんですけど、やはり差別にさらされてきたんです。いまコロナ感染者への差別があるけれど、僕は、コロナ感染者への差別を直接描くんじゃなくて、ムスリムが受けてきた差別を描くことによって、間接的にそうした現実をあぶり出すという手法をとったんです。知事は客観視して遠目で撮ったんですけど、バンライファーとムスリムの家族に対しては、こちらからも突っ込みました。もちろん関係性も築きながらです。

彼らは多少厳しい質問をしても逃げない。たとえばムスリムの家族には娘がいて、娘は学校などでも差別を受けてきた。それについて僕は訊くわけです。でも彼女は、まったく答えない。差別を受けていることを絶対に口に出さない。僕がその内実を訊こうとしても、絶対に言わないんです。

望月　彼女は何歳くらいなんですか？

五百旗頭　高校二年生ですね。

望月　多感な時期の子に、五百旗頭さんはけっこう厳しい質問をぶつけていましたよね。

五百旗頭　僕はそこは訊かないとだめだと思ってますから。彼女はうつむいたまま、ぶっきらぼうに対応するんだけれど、怒って逃げていくわけではなくて、

「言いたくないことだってあるでしょ」

と、言葉を詰まらせながら、返してくる。バンライファーのうちの一組の夫婦は、仕事を

辞めて家を売り払ってその生き方をしているんですが、彼らに対しても僕は「仕事と家を捨ててまでこんな生活をする本当の理由を教えてほしい」と何度も踏み込んでいきました。

僕としては理解できない生き方なんです。だけどその問いに対して、彼らは逃げない。きっちり答えてくれる。

長期取材をしようとすると、関係性を築くために取材対象を持ち上げようという意識が芽生えるものです。もちろん僕も彼らに真摯に接したつもりなんですが、やはり彼らにとって不愉快なことでも、訊くべきことは訊かなければならないし、それにどう答えてくれるかによって、何か本質的な部分が見えたりするわけです。

望月　『裸のムラ』は、いろいろな思いを喚起させられながら観ました。ただでさえ生きづらい日本社会が、コロナ禍でどう変質したか、ムスリムの家族の日々を通して巧みに描かれていると思います。また、既存の生活にとらわれないバンライファーのパパが、じつは毎日の日記を書くことを娘に強いたりしている自己矛盾を抱えていることをグサッと問い質してみたり、全篇に五百旗頭イズムが溢れていた。被写体に近づくけど、一体化してはダメ。どこかで彼らを突き放して、たとえ彼から嫌われることがあっても、それがドキュメンタリーの表現だと覚悟している、そういう視点が五百旗頭さんにはありますよね。

五百旗頭　望月さんが言ってくださったことは、僕の強いこだわりとしてありますね。日本のドキュメンタリー製作者の多くは、目に見えるわかりやすくてインパクトあるものを題材として選び、わかりやすくショッキングに描こうとします。

でも『裸のムラ』は、コロナウイルスという目に見えない存在に脅かされた時代に照準を据えて、人間社会に潜む目に見えないけれども本質的なものを描こうとした作品です。

だれも傷つけない映像表現などない

五百旗頭　ご指摘の通り、取材対象に安易には寄り添わず、適度な距離を取りました。編集を含めて、僕は取材対象に対して、ある種の加害者でもあります。

「知事はともかく他の取材対象を傷つけるのはどうなのか」

「取材対象との関係が崩れかねない質問をよくするなあ」

と言われるんですが、僕は「映像表現は人を傷つけることがあるもの」と理解したうえでドキュメンタリーを撮っています。傷つけるかもしれない痛みを抱えながら、それでも被写体と向き合い続けるのが表現者だと考えてます。視聴者や被写体を含め、だれも傷つけない映像表現などありえませんし、だれも傷つけない表現に人の心を揺さぶる力が宿るとは思えない。そうした表現の根源と向き合わずにごまかし続け、信頼を失ってきたのが現在のテレビじゃないでしょうか。

いまの大多数の政治家と記者との関係で言うと、取材する側とされる側のそうした緊張関係が完全に損なわれている。それがどうしてなのか、すごく不思議なんです。

望月　五百旗頭さんのドキュメンタリー観とは次元の異なる身もフタもない話になりますが、相手が権力者じゃない人であればズケズケ訊くけれど、それが権力者になるとまったく及び腰になってしまうというタイプの記者もいると思います。

二〇一九年、滋賀県の大津で、ある保育園の園児が歩いているところに車が突っ込んで、園児が二人亡くなってしまった事故がありました。そのとき園長が取材に対応したんですけど、記者たちがかなり細かく詰めるように訊いて、園長がショックで泣き出すということがあったんです。もちろん、記者として訊かなきゃいけないからこそ、その記者も聞いているのだとは思いましたが、いまの官邸政治部記者たちは、そういう状況で、そういう市井の人相手だったらひょっとして厳しく訊いてしまうのかなとも思うんですよね。

五百旗頭さんの前作、『はりぼて』を観ていると、富山市長にも厳しく迫っていて、権力者にも、一般の取材対象にも、適切な距離を取って厳しく迫ることができる作家だということがよくわかるんですが、大半のメディアの人間というのは、相手が権力者となった途端に、「ははぁ」とひれ伏す感じになる。その感覚が私は気持ち悪いんですね。でも逆に言うと、そういう大半のメディアの人たちは、普通の市民でも一ヵ月でも二ヵ月でも一緒にいると共感しすぎちゃって訊けなくなるのかもしれない。ただ、本質的にはそういう取材対象者にも訊かなきゃいけないときは訊かなきゃいけない。日本のメディアは、市民には突っ込むくせに、権力者には弱いという感じがしませんか？

傷ついた相手の痛みと、傷つけた自分に向き合う

五百旗頭　まず、「市民には突っ込む」ということの中身を腑分けしておく必要があると思います。僕がお話しした、取材対象に対して、ときに相手を傷つけるようなことも訊き、傷ついた相手の痛みと、傷つけた自分と向き合いながら撮るという構えは、何か事件があったときに一過性のセンセーショナルな話題ほしさに市民にズケズケ訊くやり方とか、ときにワイドショーで見受けられるプライバシーに踏み込む報道とかとは異なります。一般の市民を対象にする場合は、短期の一過性の報道か、長期的に関係を築いてなされる報道かということも大きい。短期の取材の場合には無神経なほどに遠慮なく突っ込むけど、長期の取材になったときは、とにかく関係を築くことを重視するあまり、じつはその先が本当の仕事なんですが、往々にして仲良くなった時点でドキュメントが終わってしまう。つまり、取材対象と仲良くなったということを描いただけの作品になってしまうんです。僕はその地点には留まっていたくないと思います。

望月　政治部のおもねりや迎合をしたがる記者だけでなく、新聞記者全体を振り返ると、どうしてもどこか取材対象に共感しすぎちゃうところがある。でも、あらゆる取材対象に対して、もっと醒めた目も持って、突っ込まなきゃいけないわけですよね。

五百旗頭　それが意外とできてないと思います。どこかに残酷さも含んだ質問をするときって、こちらも心が痛むじゃないですか。だけどそれをするのが僕らの仕事だし、その覚悟がなくこの仕事をやってる人があまりにも多い。テレビの場合だと本当にそこが露骨ですよね。第二章で触れましたが、スポーツの報道なんて持ち上げることしかしてなくて、調子が悪いときにはその理由をきっちり訊くことがほとんどできない。そういう質問をしても崩れない関係を築くのが記者の仕事なんですけど、それを訊いてしまったら関係が崩れると恐れて、踏み込めないんです。有名選手への密着モノで、ディレクターが選手と仲良くなったのを自慢したいだけの番組なんかは、最たる例です。

望月　それに、たまに訊くことがあっても、あまり面白くないことが多い。五百旗頭作品の魅力は、そこ突っ込んだか！　みたいな独特の感覚があるところ。

そういう意外な突っ込みから本質に迫るようなセンスと覚悟を、きっとあらゆる取材対象に向き合ううえで身につけなければならないんです。

沈黙とか間もドキュメンタリーの要素

五百旗頭　自分が取材対象と相対して突っ込むときは、自分の恥ずかしいところをさらす瞬間でもある。たとえば『裸のムラ』のムスリムの家族の娘への取材だと、僕は思いきり「塩対応」されてるんですよ。

そのときは事前にカメラマンに、「あの子はたぶん答えてくれない。僕に対しても厳しく出るだろうけど、僕も込みで撮ってください」と言っておくんです。

彼女が答えなくても、僕に批判的な素振りを見せても、そのときの彼女の佇まいや、こっちにまったく目を向けずに下を向いてる態度や、そういう沈黙のシーンから伝わるものがあるので、そこを伝えればいい。でもそれは、いまのテレビの主流の考え方でいくと、カットなんです。答えてくれなかったからカットだ、と。映像表現についてのそういう意識のずれを僕はすごく感じます。

望月　そういう取材感覚や表現意識というのも、ある意味、教えられないとだめなんですかね。五百旗頭さんは報道の現場で、何が必要かと自分自身で考えていまに至ってるけど、そうじゃなくてきている記者が大勢いる。政治部記者たちは「そうは言ってもこうするしかないんだよ」と思っていたり、そういう自己対象化さえしてない人もいるような気がします。

五百旗頭　「こうするしかないんだよ」というのは、もはや最初から諦めてる感じですよね。やろうとしていない。だめだと決めつけて一歩踏み出さないというのでは、もうジャーナリズムと言えないのでは。

望月　そうですね。飼い慣らされていることを受け入れてしまっているのでは、権力のチェックもできないし、ましてスクープなんて放てるはずがない。沈黙とか間とかがドキュメンタリーの要素だというのも大事な指摘ですよね。そういう部分を無視して、わかりやすいお涙頂戴を演出したり、バラエティ番組みたいにつくっちゃうという感覚も広範にある。

菅氏が首相になったときの報道でも、苦労物語を出してみたりして、静かに批判的に考える余地が消されてしまっていました。

五百旗頭　わかりやすい強権的な政治家が求められるようになって、実際に極端な人が出てくるという構造があるわけですが、そこにはテレビがつくってきた、思索的でない、感情的に盛り上げるばかりの番組の罪深さが相当に関わっていると思うんです。

菅首相もまた「裸の王様」か？

望月　谷本知事を「裸の王様」として描いたというか、自ら「裸の王様」であることをつまびらかにしていったという話がありましたが、権力者というのは、「裸の王様」度で計れるところもあると思うんです。

ちょっと迂回して、政治力学的に言うと、菅氏はしっかりとした派閥を持っていないがゆえの弱さもある。幹事長の二階氏なしではやっていけないとも言われています。麻生―安倍というのはかなり強固なラインで、この二人が裏切り合うことはないけれど、菅氏には派閥があるわけではなく、基盤的には不安定なところがある。

そうするといまは、安倍官邸のときに比べれば、ですが、ネガティブ情報が少しは出やすいところはあるし、コロナ禍と五輪への菅政権の日本に住む人々の安全安心を軽視する対応への怒りもあって、安倍官邸に比べると、メディアも菅批判がしやすい空気感はある。

だけど菅氏のある意味の強さというのは、政権発足段階で元共同通信の柿﨑明二さんを補佐官にしたりとか、リベラルと言われる記者たちを取り込んだりして、そっちにウィングを広げる強さがありますよね。

ひとり親支援についても、二〇二〇年秋に「女性活躍推進特別委員会」を自民党内に立ち上げさせて、そこで森まさこさんとか稲田朋美さんとかにひとり親家庭にも支援がほしいと陳情させ、年末ぎりぎりに手当を決めるとか。

支持率を上げるため、リベラル派が訴える「弱者にもやさしい」領域にも手を入れようとしていると感じます。

一方、官僚に対しては、彼が官房長官時代から支配を徹底的に進めてきたので、官僚たちからすると菅氏が恐いし、同時に「安倍より菅」みたいな部分もある。菅氏は、官僚に対しては、言うことを聞く官僚たちを出世ポストにどんどん登用し、力でねじ伏せるという、まさに「飴とムチ」のやり方を続けてきました。

安倍氏は、「僕には菅さんがいたけど、菅さんには菅さんがいない」と言っていましたけど、安倍首相時代の菅官房長官と比べると、いまの加藤勝信官房長官は無条件に菅氏を持ち上げひれ伏すという、かつて菅氏が安倍氏に対してやっていたような動きをしているわけではない。

菅氏はオフコンの場で記者を締め上げるとか、「あれは放送法違反になるな」とテレ朝の一番組を牽制したりしたわけですが、そういうことを裏で加藤氏がやっているという話もまったく聞こえてきません。なので、党内支配の一体化にはまったく至ってないという弱さはあるのかな、と思います。あくまでも、安倍氏と比べての話ですが。

「裸の王様」ということで言うと、安倍氏ほどの「裸の王様」はいないと思います。辞めてから五輪反対者を「反日」と指摘したり、安倍氏本来が持つネトウヨ的な性格を前面に出してツイッターなどで発信するようになりましたね。しかし、結局、五輪開催を喜ばない人は「反日」などと言っておきながら、五輪の開催式では欠席するというちぐはぐな対応を行い批判されていましたが。

弱肉強食社会を加速させるブレーンたち

望月 菅氏は、日本会議のような熱烈な極右層の支持はさほどない。夫婦別姓にしても、たぶん本人はいいと思ってるんですよ。「よく議論していただきたい」とか言っていますが、社会状況を見ると夫婦別姓のほうに舵を切ったほうがいいと政治的には判断しているんじゃないでしょうか。

結局、政治的な安倍氏の巻き返しに警戒しながら、無派閥という地盤の弱さゆえに、菅氏は、政治力学的には「裸の王様」になりきれないところがある。もちろん菅氏は、民意に耳を傾けることなく、政権浮揚と利権だけを考えてオリンピックを強行したわけで、本質的には、最悪の強権的「裸の王様」の一人ではあるんです。

みんなが言うのは、官房長官時代と同じように、いろんな政策をチェックしたがるらしい。首相になったのだからもうちょっと任せてもいいわけですが。

菅氏は、「僕は（首相に就任した二〇二〇年）九月以降まったく休みなく働いている」と自慢げに言うけど、本当は周りに託せばいいことが、それができない。これまでの官房長官時代と同じ感覚を引きずってるのかなと思うんです。

それと、これも佐高信さんから聞いた話ですが、記者相手でもフリーの人を手厚くしたりして、そういう取り込みは上手いのかなという気はする。

五百旗頭　指南役は確保できているんですか？　菅首相に諫言できる人は？

望月　和泉洋人補佐官みたいなのを手足のように使っていても、「和泉さんに言われたから」みたいな関係ではないですよね。和泉氏は、菅氏の言う方向に合わせて手足になって動いてる人だから、菅氏をコントロールできるだれかがいるのかと言うと、確固たる「この人」という存在はいないのかなと思います。安倍氏にとっての今井尚哉補佐官がいないわけです。あえて言えば、成長戦略会議委員の竹中平蔵氏を経済政策においては基軸的なアドバイザーに据えているところはあると思います。

五百旗頭　絶対に基軸にしちゃだめな人じゃないですか。

望月　そうなんです。側近たちを見ると、アトキンソン氏とかツイッターの呟きが問題視されて辞めた高橋洋一氏とか、弱肉強食社会を加速させようとするちょっと危ない人ばかりだなという感はありますね。

五百旗頭　望月さんのお話を聞いていると、であれば、いまこそもっと菅首相を攻めるべきときなのに、攻めないメディア側の問題がなおさら浮上してきます。

「既得権益の打破」ならPCRを拡充すべき

望月　朝日新聞なんかにしても、政権批判がかつてに比べると弱まったように感じます。朝日の官邸キャップが菅番だったことも関係しているかもしれない。

菅氏が首相になったとき、彼は朝日のデジタル版で菅のことを、「とんでもない戦略家で、とんでもないけんか師です。すごく強気で、昔の戦国武将みたいな人。総裁選の歴史が菅さんのけんかの歴史だけど、菅さんは負けてきた。政治家になった以上は政局、けんかをしなければダメだというのが、ある種の信条としてあるようです。だから、けんかをしたがらない岸田文雄さんのような人への評価が、あまり高くない」と評価していました。戦国武将になぞらえたり、「けんか師」と言ってみたり、勇ましい言葉で菅氏を語ってるわけですが、権力者を批判する牙を失くしているようにも読めてしまいました。朝日がこれか、と。首相会見での質問も緩いように感じました。権力を批判しぬく気迫をもう少し持ってほしいと感じました。

五百旗頭　見えない裏で、記者たちをまた締め上げてるような、何かあるんですかね？

望月　表の「ぶら下がり取材」が増えたわけだし、かつてほど裏での締めつけはできないと思うんです。コロナもあるから夜のぶら下がりがどうなのか知らないんですけど、官邸出入り口でのぶら下がりを見ていると馴れ合いのない若手記者のほうが突っ込めているのかな、という感触はあります。

五百旗頭　ＮＴＴの総務省接待スキャンダルについて、「週刊文春」が料理メニューの細目まで暴いていたことを望月さんは感嘆していましたが、あれだけ細かい話が文春にタレ込まれるということは、霞が関内の「アンチ菅」というのも……。

望月　総務省はすごいと思います。

五百旗頭　相当いるということですよね。そうでなければ、あんなコアな情報、出てくるはずないですよね。

望月　その声にならない菅氏への怨嗟を、新聞ではなくて文春がすくい取るという構図ですよね。

五百旗頭　菅首相は、既得権益の打破とか縦割り行政の打破とかさかんに言ってきたわけですが、それ自体は、僕は抽象的には当たり前のことを言ってると思うんですけど、具体的な話がまるで見えてこない。コロナのことで言えば、ワクチン接種の遅れや供給不足、それについての情報錯綜や情報隠蔽は不手際というより失政に値すると思うし、昨年来のコロナ対策の最大の問題と言ってもいいＰＣＲ検査の不拡充は、安倍前首相でさえ一回拡大させようとして、厚労官僚や医系技官が止めたわけじゃないですか。既得権益の打破を言うなら、それこそそこを変えてくれよと思うんですよ。肝心なところを打破できず、掛け声だけが先行している。改革を呼号しても、まったく中身がないということになってしまっている。

地方発こそ世界的コンテンツに

望月　ＰＣＲ検査については、たとえば厚労省と文科省の壁を取っ払わないと国立大学を使っての大型検査ができないとかで、文科省は文科省で本音を言うとやりたくないと聞きました。つまり、厚労省の既得権益と、文科省の逡巡という、省庁間の利害がそこは一致しちゃったのかなと思うけど、そういう旧弊こそ壊せよと思いますよね。それがぜんぜん、壊せていない。

五百旗頭　現時点ですごく問題になっていることですら、一つも打破できていないわけですからね。

望月　そういう政府の矛盾を、記者が端的に突けないことも問題です。それはやはり権力を批判する独自の視点がないからだと思う。五百旗頭さんのドキュメンタリーは、個々の作品のなかでの視点や突っ込みに意外性があっていつも発見があるんですけど、作品自体というかテーマの取り方そのものも毎回刺激的ですよね。『裸のムラ』の次の構想は？

五百旗頭　一貫してるのは、これまでのローカル局のやり方じゃなくて、アジアや世界的マーケットを見ていないとだめなので、それに本気で取り組もうと思っています。日本が抱えてる問題で、世界が関心を持っていることっていろいろあるじゃないですか。そういうことをテーマに据えて、もちろん番組化して、映画化もするというのをやっていこうかなと思っています。

いま、いくつか行けそうなテーマがあるので、それをやりたいな、と。ただ、これは相手もいる話なのでいまの段階では言えないんです。ほのめかすような言い方しかできず、すみません。

望月　これまで五百旗頭さんがインスピレーションを得たドキュメンタリー作品にはどんなものがありますか？

五百旗頭　このドキュメンタリストに憧れて、という人はとくにないんですが、影響を受けたのは東海テレビがつくってきたドキュメンタリー作品ですね。ずっと雲の上の存在だったのが、五年ほど前から民放連盟賞の中部・北陸地区審査会で競り合えるようになってきました。それでも、やはり凄いなと毎年唸らされています。

それは、タブーに踏み込むという姿勢です。安田好弘弁護士の活動と人間に迫った『死刑弁護人』とか、ヤクザの人権に正面から向き合った『ヤクザと憲法』とか、テレビがテレビをドキュメントする『さよならテレビ』とか、阿武野勝彦さんという素晴らしいプロデューサーがいて、いつも意識していました。僕らがローカル局で「こんなことをやったらまずいだろう」とちっぽけな悩みを抱えていたときに、東海テレビが想像を遥かに超えた作品を出してくるわけです。ああ、オッケーなんだ、と。地方の自由な発想から生まれた作品こそが世界で勝負できる可能性があるのだ、と。

一方で中央の在京テレビ局の作品を見ると、なんだかすごく窮屈そうにつくっている。地方に身を置いている人間からすると、東海テレビは地方局かというとそうではないんですけど、一応地方カテゴリーの局ではあるので、僕らももっと思いきりやらないとだめだなと意識づけられたというか、そういう意味ではすごく勇気をもらえたんですね。

『i－新聞記者』で森達也はどう変わったか？

望月　森達也さんの『i－新聞記者ドキュメント』は、どんなふうにご覧になりました？

五百旗頭　これまでの森さんのつくり方じゃないと思いました。明らかに手法を変えましたよね。『i－新聞記者ドキュメント』はカットを細かく切って勢いをつけています。『A』『A2』『311』『FAKE』とかも観てますが、いままでの森さんの作品は、ワンカットをじっくり見せていたんですけど、『i－新聞記者ドキュメント』は異なるつくりになっている。もともと『新聞記者』の劇映画とのコラボレーションみたいな成り立ちだったから、おそらく森さんといえどもいろんなしがらみがあったのでしょうか。僕はそれを感じました。

望月　そういうしがらみという意味なのか、森さんは、私を斬ってこなかったですからね。映画『新聞記者』を斬るという部分はあったけど。森さんのことだから、最後に絶対どこかで私が「落とされる」と思ってたんですよ。それまでのオウム真理教を扱った『A』『A2』とか、佐村河内守氏を追った『FAKE』を観てたから、そう思いました。でも、それをやらなかったんですよね。

五百旗頭　森さんは、望月さんにぶつかっていかなかったですよね。その場面があるかなと思って観てたんですけど。裁判所のなかに入っていくシーン（註・撮影が禁止されている裁判所内に望月氏と同行するかたちで隠しカメラを持ち込もうとしたが、気づいた望月氏に激怒されて取りやめる）も、ディレクターズカット版ではじめて出したんですよね。

望月　過去作を観ていたので、いろいろ仕掛けてくるだろうなと、けっこう警戒していたんですけどね。もう一人のカメラマンの小松原茂幸さんとはいろいろ喋ったんですけど、彼は政治的に右左がある人じゃないから、落としてくるとかの心配はなかったんです。ただ、沖縄に森さん同行で取材に行ったときに「週刊文春」をバーンとホテルのフロントの机の上に置かれて、「これ、望月さん読んで」と。そこには、小泉純一郎元首相の秘書官だった飯島勲氏のコラムが連載されていて、「菅さんに食い下がる望月というのは、俺が秘書官だった二〇〇〇年に自宅ピンポンしてきて、石原都知事絡みの不正で『あんた絡んでるんじゃないか』と言うんだけど、『あんた、失礼じゃないか。いきなり来て何だ』とドアを閉めようとしたら、ハイヒールを挟んできやがった」みたいに書いていた。二〇〇〇年は私は千葉支局だからそこにいるはずがなかったわけで、これはひどいなと思いました。で、その文春を読んでるときもカメラをずっと回してるわけですよ。

カメラによって逆に私が活性化された

五百旗頭　そういう仕掛けはあったんですね。

望月　そうですね。そこで怒って飯島に会いに行こうとかなる流れをたぶん撮りたかったんだと思います。

五百旗頭　なるほど。

つくり手の視点で言いますが、真っ先に思ったのは、これは森さんが撮りたかったものが撮れなかったんだなということです。それはさきほど言った編集の仕方もひとつあるし。

望月　私が菅にバーンとぶつかっていくかと思ったのかもしれないですね。

五百旗頭　『はりぼて』だったら権力側と記者が激しく応酬するわけですよ。そういうシーンが意外と少ないと感じました。オープニングは勢いがありましたよね。あとは沖縄の基地問題の取材シーンはありましたが、望月さんがだれかとガチガチやるところは撮れなかったんだろうなと。

望月　会見が撮れないというのもあったと思うけど。図らずも生起したような生っぽいシーンを、もっと撮りたかったというのはあったと思います。

五百旗頭　それをすごく感じました。森さんはもどかしい思いでつくったのかなと感じられました。望月さんは撮られるときに身構えましたか？

望月　防衛省幹部のぶら下がりのシーンとかがそうなんですけど、カメラが回ってるから、しつこく行こうってなりましたね。だからカメラが回ると自分の言動も違うなと思いました。

五百旗頭　ありのままというわけにはいかないですよね。

望月　むしろ、テクニカルに考えますね。映像としてはこういう対決がほしいだろうなとか。撮られるようになると、そういうことをすごく考えます。

五百旗頭　やはりカメラが回ると演じてしまってますよね。ちょっと違う望月さんになってるんでしょうね。

望月　訊き方はふだんのままなんですけど、防衛省の人たちが「言えない、言えない」と答えるのに対して、あそこまで追っかけたというのは、カメラが回ってたからこそだった気がします。だから、カメラによって、逆に私が活性化される面があったと思います。ちょっと別の話になりますが、動画によって報道の表現の幅が広がるということを、このごろよく考えるんです。前にも述べましたが、入管にまつわるクルド人の収容先での問題も、言葉で表現するよりも、当のデニズさんが拘束されているシーンを見れば、もうそれだけでショッキングだというくらい、動画で伝えられるリアリティって、活字とは違いますよね。

五百旗頭　テレビの人間からすると、望月さんくらい発信力のある人が動画も撮りはじめて、それをツイッターで発信しはじめるとなると、これは本当に脅威ですよね。テレビもうかうかしていられないという。

最近、新聞記者の人がけっこう動画を撮っているじゃないですか。それが再生回数を重ねたりもしている。時代は本当に変わってきた。そういう状況をテレビ側がどう受け止めるかというのは大事なことだと思います。それを「新聞記者が何かやってるよ」程度に流してしまうのか、「いや、こちらも何か工夫しなければならない」と考えるのか。そのあたりのことを、テレビ側が時代のなかで試されているんじゃないかという気がしています。朝日新聞の三浦英之さんも動画を撮って、上げていますよね。

望月　三浦さんは映像編集にはまりそうだって言ってました。彼はとても器用だし、自分で写真も撮ってて上手いですしね。私も簡単な動画編集ソフトを入れましたが、ずっと活字でやってきた私たちからすると、動画編集は面白いし、『はりぼて』とかを観てる影響もあるけれど、動画で伝えられるものには幅があると思う。いままで新聞には不要だったけれど、いまや、たとえば朝日だとYouTubeチャンネルを一八本くらい持っているんですよね。すごく力を入れてるし、編集も凝ってるじゃないですか。表現の幅を広げられるという可能性をみんなが感じているんだと思うんですね。

五百旗頭　しかも新聞記者の人たちが現場を駆けずり回って撮ってきた映像って、じつはテレビでは撮れない映像だったりするんですよ。大手メディアだと流したらまずいからといってカットしてしまう映像を新聞記者がネットで流すわけです。それによってまたさらにテレビの信用度が下がっていくという可能性がある。

望月　たとえば「週刊文春」も文春オンラインを動画つきでやっていて、スキャンダルとデジタルと動画に同時に力を入れてますよね。

五百旗頭　こういうメディア状況のなかでは、テレビはよほどしっかり考えないとだめですよね。

望月　そうはいっても、企画・製作力はやはりテレビのほうがあると思いますけど。

五百旗頭　編集のテクニックとか労力のかけ方は勝っていると思うんですけど、労力をかけてるのに肝心なところを流さないというのがいまの大手メディアの病理のひとつです。いまの国政のコメディ感って半端ないじゃないですか。こんな時代なんだから、どんどん作品つくってよと思うんです。在京テレビは何をやっているんだっていう気がします。安倍政権以降の映像素材はいくらでもあるわけだから、それだけでも絶対つくれるし、さらにそれにプラスアルファで違う取材もあるとすれば、何とでもなる。もったいないですよね、いまの政治状況は素材の宝庫なのに。

社会的対象化によりもたれ合いの空気を変える

望月　政治の惨状はたしかに喜劇的でもあり、悲劇的でもあり、これを素材として見ごたえのある表現をつくり上げて打ち返してやる気概が必要ですよね。そのとき動画は新しい手段になる気がします。

五百旗頭　さきほどの話に戻りますが、森さんの作品で、望月さんは撮ってるカメラを意識して、逆に動かされたところがあるということですよね。

望月　あったと思います。訊き方のしつこさはいつもあんな感じです。私はどうしても厳しく訊いてしまうところがあって、「ご見解いかがでしょうか？」になれないのが私なんですけど、ただ、繰り返しますが、質問に答えるのを拒否されて、車のところまで追いかけるというのは、カメラを向けられていたからだと思う。

支局時代のことでよく覚えてるんですが、市役所の不正を徹底的に追ってたうちの記者がいて、相手が何も答えないのが悔しくて仕方なくて、「最後に市長はドアから出ていった」といって、ドアの写真だけ送ってきたことがあったんですね。まったく答えないことを表現したくてこの写真を送ってきたんだなということはわかるんだけど、写真だとそれ以上のインパクトはない。でもいまなら支局でも動画を撮れるから、この相手はどうせ逃げるに違いないけれど、逃げるところまで動画で撮り切って、ツイッターで発信してみようと、そういう発想ができますよね。

ツイッターが発達してきたこともあり、私はそのあたりから動画の可能性を考えるようになったんです。やはりいまなら、逃げるところを撮ってみようと思いますよ。

動画を回していて感じることですが、会見が活発化すると記者も元気づきます。入管法改正がおかしいと感じて上川法相の会見に行くようになったんですけど、法務省の記者クラブの記者しかいなくて、おとなしかったんです。だから、幹事社以外は、フリーランスの方などがいないと私しか質問しないみたいな空気があった。一方で学術会議問題がはじけたときは井上大臣の会見は各社の社会部と科学部、産経は政治部まで来てごちゃ混ぜになってて、はじめはおとなしかったんですが、科学新聞社のベテラン記者や私がしつこく訊いていくうちに若手の関西テレビの記者が負けじと訊くようになって、朝日新聞とか毎日新聞もベテランや若手が次々と訊きはじめて活性化されていくんです。そういうことは動画を回しているとよくわかる。

たとえば菅政権発足直後の学術会議の問題だと、自民党の日本学術会議の在り方を検討するプロジェクトチームの塩谷立座長がついていました。政治部しかいないぶら下がりの会見にも行ったんですけど、本当に腫れ物に触るかのような聞き方でおとなしい。「ご意見は？」みたいな感じだし、それはまさに「ご作法的なサークル」に、私のような作法も知らない犬が迷い込んでるみたいな空気でした。でも、動画を回していると、何かがちょっと変われば変わるんだろうなって予感もしてくるんです。そういう意味で、動画が回っていて、ふだん訊いている記者が撮られているという状況は、ある意味で、私が森さんのカメラを意識するようになったみたいに、いいことなのかなと思います。

五百旗頭　僕もいいことだと思いますね。記者も見られている感覚があったほうが、絶対にいい。見られることで自分を社会的に対象化するところから、空気を打ち破る記者が出てこないと、権力にもたれかかるメディアの空気は変わらないですからね。

あとがきにかえて 「緊急事態」の国内メディア

五百旗頭幸男

「何がきっかけでそんなに空気を読まなくなったの？　私には言われたくないと思うけど」

半年前に劇場で観たドキュメンタリー映画の主人公は、銀幕と同じく早口でまくし立ててきた。望月衣塑子記者とはじめて話したのは二〇二〇年七月。映画『はりぼて』公開前の電話取材だった。

「『はりぼて』はクライマックスで五百旗頭さんが会社を辞めるところが最大の見せ場だし、いちばんおもしろいね。何があったの？」

本来なら退職に至った経緯や理由まで、映画のなかで描ききるべきだった。しかし、会社を去ったのちに公開される映画の監督を務める立場。古巣内に生じたハレーションが増幅し公開できなくなる事態を恐れ、忖度した。退職の事実だけを示し、その背景は観た人に考えてもらう手法を選択したのだ。

空気を読んだ記者に、空気を読まない記者は容赦ない。

「わざわざ退職シーンを入れてまで社会に問いかけたわけだから、報道機関であるローカル局の中で何が起きたのか、社会に説明する責任があると思うよ」

「いま、退職の経緯が記事として出れば、なぜそれを映画で描かないんだとなってしまいます……。話しますけど、オフレコでお願いします」

記者をコントロールするために権力側が多用する魔法の言葉。うかつにもそれを使ってしまった記者。かからない魔法。

「ああ……オフレコね……」

空気を読まない記者の冷めた声が胸をチクリと刺した。


望月さんは菅官房長官時代の官邸会見に社会部から乗り込み、菅氏に厳しい質問を浴びせ続けた。飼いならされた吠えない犬たちのなかに、突如現れた吠える犬。弛緩していた会見の空気が一変した。以来、官邸報道室長から理不尽な質問妨害にあい、世間からのバッシングにもさらされたが、彼女の姿勢はブレない。

二〇二〇年九月の自民党総裁選出馬会見でも、菅氏に直球勝負だった。

「官房長官会見では不都合な真実に関する質問をすると、質問妨害や制限が長期間続いた。総裁になったときには、厳しい質問にもきちんと答えるつもりはあるのか？」

「今後は官僚がつくった答弁書を読み上げるだけでなく、ご自身の生の言葉で、事前質問にないものも含めてしっかりと会見時間をとって答えていただけるのか？」

ここでも、官邸会見同様、質問中に司会者から妨害が入った。

「すみませんが、時間の関係で簡潔によろしくお願いします」

そして、菅氏が口を開く。

「限られた時間のなかでルールに基づいて記者会見はおこなっております。ですから、早く結論を質問すれば、それだけ時間が浮くわけであります」

一部の記者たちから嘲笑が起きた。

気をよくしたのか、菅氏は勝ち誇ったような笑みを浮かべている。だが、彼は何も答えていない。不都合な真実から逃げただけだ。なのに、ご主人様が宿敵に放った嫌味にしっぽを振り、下卑た笑い声を上げた飼い犬たち。その映像をネット配信で見るや、吐き気がした。取材で浮かび上がった疑問をぶつけ、ちゃんと答えない相手には重ねて質問を投げかける。望月さんは記者としての「当たり前」を実践したにすぎない。でも、そんな「当たり前」が浮いてしまう。


国内メディアは「緊急事態」の真っ只中だ。

在阪メディア各社から映画『はりぼて』の取材を受けた際、ある女性ライターがつぶやいた一言が忘れられない。

「記者会見って事前に質問を渡しておいて、台本を読み上げるのが普通なのに、この映画の会見はすべてガチンコだから驚きました」

言葉を失った。記者会見は本来、記者が取材対象者と向き合う真剣勝負の場だ。ガチンコが普通で、質問者と答弁者に台本があるほうが異常なのだ。すぐに「認識が間違っている」と伝えた。彼女は、当時の安倍首相や菅官房長官の会見を想起したそうだ。異常な状況に長く慣らされると、市民は無自覚なまま、異常が正常へと変質していく。その怖さを、温和なライターの何気ない一言によって突きつけられた。

「劇団記者クラブ」——。

官邸記者クラブがそう揶揄されるようになって久しい。官邸側に事前通告したうえで記者が質問。首相はプロンプターに映し出された想定問答を見ながら大根役者顔負けの答弁に終始する。地方でも、知事や市長などの首長会見では冒頭の数問は、幹事社が事前通告通りに質問するケースが多い。だが、それ以降は通告なしの質問が飛び交う。同じ記者が連続質問もできる。官邸会見で常識となった一人一問の質問制限は地方では非常識だし、質問妨害をされた記憶もない。他社の質問をヒントにさらに質問を掘り下げるなど、権力とのガチンコ勝負が、記者同士の健全な共闘関係を築くこともある。

ただ、権力側があの手この手で記者をてなずけ、取り込もうとするのは中央も地方も変わらない。ドキュメンタリー番組『沈黙の山』の取材では、総務省から出向中の富山県観光戦略課長が何度も幼稚な嫌がらせをしてきた。彼の役割は各社の記者に対し、知事が推し進める「立山黒部の世界ブランド化」の魅力についてレクチャーすること。レクチャー通りに報じる記者には懇切丁寧だが、私のように疑問を呈してくる記者にはわかりやすく冷たい。

県庁で取材をしても、「あなただれですか?」とわざとらしく言ってくる。もちろん私が夕方のニュース番組のキャスターであると知ったうえでの対応だ。課長は自分の課が関わるニュースはテレビも新聞もすべてチェックしている。ましてや県に批判的なニュースを確認しないわけがない。

「チューリップテレビの五百旗頭です」

「ああ、あなたがね」

白々しさが増す。県予算に関連事業費が計上されたときには、すでに社説で「世界ブランド化」を持ち上げていた北日本新聞の記者には一時間近く対応していた。ところが直後に私が訪れると、数メートル先に座る課長は私と目を合わせようともせず、「忙しいので明日にしてくれ」と部下を伝書鳩に使った。

こんなこともあった。立山黒部アルペンルート視察後のぶら下がり取材で、知事に問うた。

「アルペンルートの冬季営業は、立山の自然環境の過酷さを熟知する人たちからすればありえない話だ。世界ブランド化を検討するにしても、有識者会議にそうしたエキスパートを加えるべきではないか」

知事は「冬季営業をいますぐやるとは言っていない。安全性の議論になれば、当然そういう人たちの意見も聞く」とはぐらかしたが、エキスパートの意見を聞くことなく冬季営業構想は頓挫した。このやりとりを苦々しく見ていたのだろう。ぶら下がり取材が終わるやいなや、課長が悪態をついてきた。

「そんなこと、何度聞いたって同じなんだよ！」

残念でならない。相手が答えなければ何度も聞くのが記者の仕事だ。放送行政を所管する総務省のエリート官僚をして、この程度の見識なのだ。

当時、富山県庁の事務方トップである経営管理部長も総務官僚が務めていた。その部長が「あなたの報道スタンスは厳しすぎないか」と言ってきたことがある。「決して厳しいとは思いません。是々非々です」と答えると、信じがたい言葉が返ってきた。

「**是々非々では困るんだ**」

部長のスタンスは単純明快。県のやろうとすることにいちゃもんをつけるなというわけだ。彼は私のキャスターとしてのコメントにも不満を持ち、私にではなく、県政記者クラブに所属する同僚記者に圧力をかけてきた。

富山県内で初の新型コロナ感染者が確認される直前の二〇二〇年三月。五選を目指す石井隆一知事がコロナ患者を受け入れる予定の県立中央病院の感染症病床を視察した。

この時期、県は感染リスクがあるため不要不急の病院訪問を控えるよう県民に呼びかけていた。そうしたなかで、知事は県職員とマスコミ合わせて二十人以上を引き連れて視察をおこなった。私はニュース映像が流れたあとのスタジオで、コロナ患者の対応に備え神経をすり減らす医療現場に無用の負担をかけた知事の姿勢に疑問を呈したうえで、こう結んだ。

「知事選に向けたパフォーマンスではないと思いたいですが、県庁に病院幹部を呼んで説明させれば事足りる話です。それを知事に指南できる幹部がいないことに愕然とします」

翌日、県政担当の同僚記者が経営管理部長室に呼び出された。「チューリップテレビと富山県の関係がどういうものか、わかるよね」ローカル民放局にとって県はＣＭスポンサーでもある。部長は言外に、「CM出稿を削ることだってできるぞ」とにおわせ、脅しをかけてきたのだ。同僚が部長室に呼び出されたことを知っていた私は、自分のコメントが引き金になって県から圧力がかかったとわかれば、事の顚末をスタジオで説明しようと考えていた。だが、部長室で何があったのかを尋ねた私に同僚は「違う話だったから、拍子抜けした」と笑った。

私がつくったドキュメンタリーやニュース特集、スタジオコメントに対して、社内に反発の声があるのは知っていた。圧力でないそぶりで圧力をかけてきた人もいたが、社内会議などで発せられた文句が伝聞で私の耳に届くことが多かった。そして、私はそれらを無視し続けた。日々の取材などで感じた疑問を世の中に投げかけるのは、記者やキャスターとして当然の行為だからだ。だが、目下「緊急事態」の国内メディアでは、そんな「当たり前」がハレーションを呼び起こす。

私が退社二週間前に発したあのスタジオコメントもご多分に漏れず反感を買っていた。県の部長室に呼び出された同僚は社内の空気にも敏感だった。彼が部長から圧力を受けていたと知ったのは、退社から一年が過ぎたころだった。同僚に圧力をかけた経営管理部長はその後の県知事選において、討論会に向けて石井知事が使う資料を県庁内のパソコンで作成していたことを報じられ、認めている。まだ比較的健全だと言われる地方の報道現場ですら、記者たちは日々、社内外からの圧力にさらされている。東京、大阪、名古屋など、大都市を拠点とするマスメディアの状況は容易に想像できる。その筆頭が官邸記者クラブなのだろう。

自分が伝えるニュースと番組が、経営陣や営業サイドの気分を損ねないか。民放テレビの記者にはそんなことを気にする人が多い。

左遷される。

出世できなくなる。

サラリーマンとしての不安や恐れが萎縮を生み、社内や記者クラブの空気を忖度する。報道は自主規制に突き進み、表現は隘路へと迷い込む。一度このスパイラルに陥ると抜け出すのは容易でない。くしくもネットの侵食で曲がり角にさしかかったテレビ業界にあって、ローカル局の経営は厳しさを増している。再編統合が迫るなかで押し寄せた新型コロナ。地域メディアとしての本分を見失った経営者が、報道や番組制作を軽視して営業ありきに舵を切った局もある。新型コロナの影響でローカル局の再編は早まると言われる。この過渡期を危機ととらえて萎縮するのか。危機であり好機ととらえて攻めに出るのか。経営者の発想と現場の突破力が今後の命運を左右するだろう。とりわけ、生殺与奪を握る経営者の責任は重い。

新型コロナという未知のウイルスは、この国の政治や社会、人間の本質をあぶり出した。脆弱な医療提供体制。進まない検査。遅れるワクチン接種。欠陥だらけの接触確認アプリ。一年半に及ぶ無為無策の産物は挙げればきりがない。なかでも、東京五輪をめぐる数々の失態と迷走は、目詰まりを起こした既存政治最大の「レガシー」と言える。

コロナ禍で民意は既存政治の限界に気づきはじめた。有権者に占める自民党員の割合が日本一の保守王国富山県では地殻変動が起きている。二〇二〇年一〇月の県知事選は半世紀ぶりの保守分裂選挙となり、自民党が推薦した現職の石井知事が新人に惨敗。二〇二一年七月の高岡市長選は新人三人による保守分裂選挙となり、自民党推薦候補が事前の党内選考からもれた候補に惨敗した。自民党が推薦候補を決めても組織がまとまらず、党を割って対抗馬が出てくる。これまではありえなかったことが立て続けに起きた。盤石とされてきた組織ほど、政党や経済団体などをフル稼働させた厳しい締めつけを伝統芸に持つ。もはやカビ臭いそのしきたりに自民党員ですら嫌気がさしている。高岡市長選で敗れた自民党推薦候補の陣営は、後援会名簿五万人分を集めたというが、得票はその半数にとどまった。保守王国の組織力が急激に崩壊している。

ちょうどこの「あとがき」を書いているタイミングで、国政でも、酒の提供をやめない飲食店に対して脅しや締めつけという伝統芸を駆使しようとした西村康稔経済再生担当相が、世論の大反発を受けて謝罪と撤回に追われている。自民党の組織と政治家が利権とともに築き上げ依存してきた手法が、コロナ禍の政治停滞によって国民に通じにくくなっている。世論に敏感なはずの政治家が気づけないほど、変化が急激なのだろう。

行政も変わらなければならない。二〇二〇年四月以降、富山県の自宅から石川県の職場へ出勤するようになり、気づいたことがある。石川県内で報じられた石川県の政策と同様の政策が、後日、富山県内で富山県の政策として報じられるのだ。その逆もある。たとえば、福井県が県内全世帯へのマスク購入券配布という全国初の取り組みを公表すると、四日後に富山県、九日後に石川県も同じ発表をした。ともに旧自治省（総務省）出身の知事ということもあり、富山と石川では、国や他府県に倣っただけの政策が多かった。コロナ禍は、独自性と積極性に欠ける県政の姿を浮き彫りにした。

行政に顕著な「**前例踏襲**、**横並び**、**中央集権**」。

そんな**思考停止の悪弊**から抜け出せないのはテレビも同じだ。過去の原稿から逸脱しないように、いまの原稿を書き、他局がやっているから「うちもやるべきだ」となり、キー局のわかりやすいつくりこそが理想だと信じてやまない。

ニュースや情報番組で多様性や斬新さを説くわりに、自分たちの映像表現は画一的で保守的だ。根底にあるのは視聴率至上主義。番組途中でチャンネルを変えられることを極度に恐れている。作り手に求められるのは、視聴者が子どもでも、途中からでも、別のことをしながらでもわかる番組。描くのは曖昧さや複雑さを削いだ、単純明快な世界だ。でも、私たちが生きているのは曖昧で複雑で、答えの見えない世界だ。

『裸のムラ』はそんな世界を忠実に描いた。観る人みんなにわかってもらおうなんて考えはいっさいない。作品が問いかけるものを深く理解した人もいれば、必死に考えようとした人もいるし、まったく理解できなかった人もいるだろう。そもそも解釈はひとつではないし、観た人によって千差万別なのだ。

日本のテレビドキュメンタリーの多くが、複雑怪奇な「リアルな世界」を単純な図式に押し込むことで、わかりやすい「バーチャルな世界」に変換してはいないだろうか。

映画や番組をつくると、「ひと言で表現するならどんな作品か？」と聞かれることがある。この質問は本質的にズレている。**ひと言や簡単な言葉で表現できない**からこそ、一時間以上の映像作品にしているのだ。同じズレを、いまのテレビにも感じている。

二〇二一年七月

あとがき　権力維持が目的、手法は恫喝の政治

望月衣塑子

「こんなに忖度のないドキュメンタリーをつくれるテレビキャスターがいるのか！」

映画『はりぼて』を見終わって、こみ上げてきた感動はいまでもよく覚えている。

当時、私は官房長官会見にほぼ毎日出席できていたし、他省庁の会見などにも出ていた。そこで、記者クラブ所属の大手マスコミ記者の振る舞いを見て、正直うんざりしていた。一見スマートだが、予定調和で無難なやりとり。なにより〝熱量〟が圧倒的に足りない。「的外れな質問をすれば笑われる」「シロウトみたいな質問はできない」「偏っていると批判されたくない」。周りからの評価を気にして、縮こまっているように感じていた。

五百旗頭さんには、その気配がまったくなかった。「こんな人がまだいるんだ」という驚きも、映画視聴後の感動につながったのだろう。遠慮してもはじまらない。私は早速、インタビューを申し込んだ。

五百旗頭さんは、営業職担当だった入社二年目に「このままだと何もできない。次の春に

報道に異動できないなら退社する」と社長に直訴したという。無鉄砲だが、真っすぐな気質がわかるエピソードだ。だが本人によると、社会人になるまでは「常に周囲の空気を読んでいた」というから、人はどこで〝化学変化〟を起こすかわからない。

映画のクライマックスは、五百旗頭さんが本当に会社を辞める衝撃のシーンだ。五百旗頭さんは「映画では完全に描ききれていない」と語った。「なぜ?」と聞くと「組織ジャーナリズムの限界です」と返ってきた。さまざまな事情があったことを知り、五百旗頭さんもまた、悩みながら闘っていることを知った。

取材現場の強い思いが、常に正しいとはまったく思わない。私も暴走と失敗をくり返し、会社には多々迷惑をかけてきた。しかし、どんな組織に属していても、葛藤を抱えながら組織のなかでぶつかり、ときに戦わなければ進歩はない。五百旗頭さんとの対談を通じて、改めてその思いを強くした。『はりぼて』という素晴らしい人間ドキュメンタリーが出てきたことは心から嬉しい。

二〇二〇年四月に石川テレビへ移籍した五百旗頭さんが、いま心掛けているのは「単純化させずに余白をもたせて視聴者に判断を委ねる。自分たちの恥もさらけ出し、想定外を生かすこと」。その哲学は、ムスリムの家族とバンライファーの家族の生活を通して、コロナ禍における日本社会の変質を描いた最新作『裸のムラ』にも表れていた。被写体と一体化せず、嫌われることを恐れず質問をぶつけ、報じる。この覚悟は、日本のメディア関係者が持つべき姿勢だ。もちろん、私も含めて。

本書の一章でも触れたが、東京五輪には三七二〇億円の協賛金が集まった。このうち、協賛金六〇億円の「オフィシャルパートナー」には朝日新聞、毎日新聞、読売新聞、日経新聞が連なる。協賛金一五億円の「オフィシャルサポーター」には産経新聞、北海道新聞が就いている。ニューヨークタイムズやBBCなど、欧米メディアが次々と五輪開催に疑義を唱えるなか、日本の大手紙と連動するテレビ局の中止に向けた言及への動きが鈍いのは、このことと無関係ではあるまい。

六紙で五輪中止について触れたのは、「中止の決断を首相に求める」とやや腰の引けた社説を載せた朝日新聞だけ。メディアがスポンサーになってしまったことで、本来批評すべき五輪の商業主義にどっぷりつかっていることを露呈してしまった。私がいる東京新聞はスポンサーではないが、社説で「コロナ禍の東京五輪、大切な命を守れるか」と書いただけ。正直、腰砕けに終わっているように見える。

五輪を開催すれば、選手やスタッフら大会関係者だけでなく、日本国内でも感染拡大するのは必至だ。だれの目にも明らかなのに、スポンサーメディアは「報道の顔」と「企業の顔」を都合よく使いわけ、「中立・客観」を盾に踏み込んだ報道を避け、あるいは専門家に代弁させて両論併記でお茶を濁し、これから起きるリスクを知りながら、見ぬふりをした。

それはつまり、自らへの批判を恐れて「パンデミック五輪」を拡大させているのだ。忘れてはならない。私たちメディアに必要なのは、五百旗頭さんが示すように、いかなる状況でも怯まずぶつかっていく覚悟と姿勢なのだ。東京五輪をめぐるメディアの所作は、国民から静かに、冷静に観察されて、記憶と記録に残るだろう。


後手後手の新型コロナウイルス対策。何を聞かれても「安心・安全」しか答えなかった東京オリンピック・パラリンピックのリスク対策――。

こんな菅義偉首相を目の当たりにして、かつて「鉄壁」などと持ち上げていた人たちも、さすがに目が覚めたのではないか。

教養も政治理念も国益のための戦略も持たず、批判には背を向け、専門家の知見を軽視し、都合よく法令解釈を変更し、人事権で相手を脅して従わせる。**すべての目的は自らの権力維持で、あとは空っぽ。**歴代首相でここまでの小者はいただろうか（ただし前任者を除く）。

政権発足後、まず菅首相が杉田和博内閣官房副長官と着手したのが、日本学術会議の推薦候補者六人の任命拒否だった。いま振り返ると、この「事件」が政治家・菅義偉の本質を端的に表していたように思う。任命拒否は憲法第二三条の「学問の自由」や、日本学術会議法第七条二項などにも違反する。七〇〇を超える学協会から反対声明が出されたが、政府の政策決定をめぐって、これほど多くの学協会から反発が出たことは過去になかった。

拒否された一人の松宮孝明・立命館大教授は、「あのヒトラーでさえ、全権掌握するには特別の法を必要としたが、総理は現行憲法を読み替えてこのような暴挙に出た。独裁者にでもなるつもりか」と批判した。

独裁者は「自分がルールを決められる」と思っている。菅首相は「学問の自由への介入では」と記者に問われ、こう答えた。

「学問の自由とはまったく関係ない。どう考えてもそうじゃないか」

いやいや、このパンケーキおじさん、どう考えても法令を知らないんじゃないか。

それどころか、菅首相は拒否した六人のうち、知っているのは加藤陽子・東大教授だけだったと答弁した。これでどうやって任命を拒否できるのだろうか……。

いくつも論理破綻しているのだが、本人は多分、何が問題なのか理解できていない。代わりに解説してくれたのが当の加藤教授だ。朝日新聞のインタビュー取材で、「問題の本質は、政府が法改正せず、必要な説明をしていないまま解釈変更を行った点にあり、集団的自衛権の問題や検察庁幹部の定年延長問題とも地続きである。私が国民の前でそれを説明できる人間であったことが、不都合だったのでは」とズバリ言い当てている。なるほど、菅首相や杉田氏にとって、こんなに頭のいい人はさぞや煙たい存在に違いない。

六人は内閣府や内閣官房など四機関に対し、任命拒否の理由を調べるために情報開示請求をしたが、すべて不開示決定となった。その理由について、うち三機関が、「個人情報が不存在」「保有していない」などとし、内閣府は文書の存否すら明らかにしなかった。役所の隅々まで染み渡ったこの傲慢さこそ、菅政治そのものだろう。

いまや官僚たちは一部の権力者の奉仕者として、その能力を存分に発揮している。学業成績と出世レースに明け暮れ、良心をどこかに捨ててきたのだろうか。

安倍前政権下で官房長官だった菅首相は、総務省自治税務局長だった平嶋彰英氏ら「もの言う官僚」たちを人事で冷遇してきた。その結果、菅首相の周りには、権力を利用して己の出世欲を優先する官僚が集った。菅首相の長男が務める放送関連会社の接待に、喜々として参加するような総務省官僚たちがいい例だ。安倍・菅政権は「自分たちこそが法だ」と言わんばかりの暴挙を振るってきた。だが、国民の多くは検察庁法改正案あたりまで、その危険性を実感していなかったと思う。政権に虐げられる人と自分は違うと思っていたからだろう。ところが、コロナ禍であまねく国民が当事者となり、ようやく気がついた。

最たる例が飲食業界だろう。五輪開催の障壁＝感染拡大の根源とされ、法的根拠もないまま、金融機関や酒販売業界を通じて圧力をかけられそうになった。西村康稔コロナ担当相は七月八日夜の記者会見で、「酒の提供自粛に応じない飲食店の情報を、金融機関と共有して順守を働きかけていく」と表明。これに連動し、内閣官房のコロナ対策推進室と国税庁酒税課が、自粛に応じない飲食店との取引停止を依頼する文書を出していた。

驚くのは、政治家の暴走を止めようとした役人がいなかったことだ。平嶋氏のように、すでに中枢から放逐されてしまったのだろう。

世間の反発が高まり、問題が大きくなった後の菅首相の言動に注目して欲しい。西村大臣の発言を記者団から問われた菅首相は、「西村大臣はそうした趣旨の発言は絶対しない」などと、まるで他人事のように振る舞った。ところがその後、事務方が菅首相にも説明していたことが明らかになる。金融庁と経産省、財務省など各省庁にまたがってすりあわせが行われており、西村大臣が「踏み込み過ぎた」としても、独断で発表できるものではないはずだ。記者にこの点を問われた菅首相は、「具体的な内容について議論をしたことはない」と反論。記者が聞いているのは、西村大臣の提案を承認したかどうかなのだが、正面から答えず、すり替えて逃げた。さらに、西村大臣発言の一ヵ月前、政府は酒販売業者への支援金の支給要件として、お酒の提供を続ける飲食店との取引停止を盛り込むように都道府県に要請していたことも判明した。

なんてことはない。菅政権が総力をあげて、飲食業界関係者を脅していたのだ。

得意の恫喝は「先手先手」の菅政権だが、肝心の支援金の給付は「後手後手」に回っている。菅政権が二〇二〇年度に編成した補正予算七三兆円のうち、予算執行できなかったのは三割弱の二〇兆円程度。今回、締めつけを狙った飲食店などへの協力金は三兆六三〇〇億円の予算がついているが、四月末時点で九七〇〇億円しか飲食業界に支出できていない。

西村大臣発言への反発を受け、政府は協力金の「先払い制度」も開始したが、制度設計や自治体との連携が大幅に遅れているため、東京都では先払いを優先し、従来の給付金が滞るという現象が起きた。

菅政権の危機管理能力のなさと、弱いものにばかり負担を強いる「いじめ体質」が明らかになると、従来の与党支持層を巻き込んで怒りが広がった。元日本マイクロソフト社長・成毛眞氏は、「（政府は）もはやグダグダなのだから、秋の総選挙は都議選以上の波乱が起こるだろう」「飲食店は自分たちが激怒していることを効果的に表現しないとダメ」と呼びかけた。すると、「秋の総選挙では、自民党と公明党以外に投票します」と書かれたポスターを店先に貼り、画像とともに「＃自公以外に投票を」とツイートする事業者が続いた。

世論調査の数字にもはっきり出た。時事通信が七月九〜一二日に実施した世論調査では、菅政権の支持率は発足後最低の二九・三パーセントに急落。三割を下回るのは「加計学園」問題で安倍政権が揺れた二〇一七年七月以来、四年ぶりだった。自民党の政党支持率も二一・四パーセントで、「青木の法則」（政党支持率と内閣支持率の和が五〇を下回ると政権維持が困難になる）の危険水域に突入している。五輪後に待ち受ける衆院選を前に「菅のままでは負ける」の声が与党内でささやかれはじめた。

一方、菅首相が政権浮揚策としてすがったのが、ワクチン接種と東京五輪の盛り上がりだった。ワクチン入手が遅れているのを伏せてでも、急ピッチで接種を推進し、五輪の有観客にぎりぎりまでこだわったことからもうかがえる。だが、こちらも思惑が外れた格好だ。「安心・安全な大会」への対策として「選手や大会関係者の検査と行動管理を徹底」とうたったが、各国の五輪選手団は空港到着後、すぐに一般客と混在するシーンが繰り返し報じられ、政府のいう「バブル方式」が幻想であることが明らかになった。五輪組織委員会は感染防止に必要なルールをまとめた「プレイブック」をつくり、「徹底して守ってもらう」と強弁したが、海外のマスコミ陣が、ホテルに着くなり、コンビニに酒類を買い出しに行ったり、築地散策を始めたりする様子が報じられた。そもそも、五輪で訪れる九万人超の選手・大会関係者の行動管理などできっこない。

見通しの甘さが露呈する一方、東京都のコロナ感染者は七月二一日に一八三二人、重症患者は六四人、大会関係者の感染は七九名になり、第五波に突入。首都圏だけでなく、関西圏でも拡大が続いている。本来なら「開催中止」の判断が出て当然な段階なのに、〝ぼったくり男爵〟のバッハIOC会長に「私たちは同じ船に乗っている」と言われながら「パンデミック五輪」に向かって突き進んだ。

菅氏は、七月八日の会見で記者から「感染者が増加した場合の責任をどう考えるか」と問われても、「交通規制やテレワークを徹底する。こうしたことで安全・安心の大会を実現できる」と言うだけ。感染拡大で国民が被る健康被害や、生命の危機について責任を取る気など毛頭ないのだ。何人もの閣僚らが、五輪開催前に菅氏に中止の決断を迫っても、それらの声はみな退けられた。菅氏は、「感染者数は六月に減るはずだ」と周囲に希望的観測を語っていたとも報じられた。その科学的根拠に基づかない、浅はかな「見立て」はいま、私たちの目の前で脆くも崩れ去っている。

菅政権にはもともと、民の声を聞く機能が備わっていない。それは菅首相が党内力学で党総裁となり、そのまま首相になっただけだから。声を上げても「まったく問題ない」とシャットアウトしてしまう。強い与党が何をしてきたか、安倍・菅政権をよく振り返って欲しい。政治の私物化が進み、政府の無策と愚策のツケが、私たちに跳ね返ってきている。こうなると、もはや、私たちがやれることはひとつしかない。選挙で明確に意思を示すことだ。歴代の衆院選の投票率をみると、過去三回の総選挙が歴代ワースト3。投票に行かないことは、政府に白紙委任状を渡すことにほかならない。唯一、菅政権を評価するならば、「選挙に行かないと大変なことになる」ということを、改めて国民に気づかせてくれたことかも知れない。

きちんと審判を下さねばなるまい。

二〇二一年七月

望月衣塑子

1975年、東京都に生まれる。新聞記者。慶應義塾大学法学部卒業後、東京・中日新聞社に入社。官房長官記者会見での鋭い追及など、政権中枢のあり方への問題意識を強める。著書『新聞記者』（角川新書）は映画化され、日本アカデミー賞の主要3部門を受賞した。近著に『なぜ日本のジャーナリズムは崩壊したのか』（講談社+α新書、佐高信との共著）などがある。

五百旗頭幸男

1978年、兵庫県に生まれる。ドキュメンタリー映画監督。記者。2017年に富山市議会の政務活動費不正問題を追ったドキュメンタリー番組「はりぼて　腐敗議会と記者たちの攻防」にて文化庁芸術祭賞、放送文化基金賞などを受賞。2020年、映画版「はりぼて」を共同監督。同作で全国映連賞、日本映画復興賞を受賞する。2019年には冬季は閉鎖されている「立山黒部アルペンルート」の通年営業化計画を検証した「沈黙の山」にてギャラクシー賞を受賞。

講談社+α《プラスアルファ》新書　844-1 C

自壊《じかい》するメディア

望月《もちづき》衣《い》塑《そ》子《こ》

五百旗頭《いおきべ》幸男《ゆきお》

2021年8月18日第1刷発行
2021年9月13日第3刷発行

発行者――――鈴木章一

発行所――――株式会社 講談社
東京都文京区音羽2-12-21 〒112-8001
電話 編集（03）5395-3522
販売（03）5395-4415
業務（03）5395-3615

デザイン――――鈴木成一デザイン室

写真――――渡辺充俊

カバー印刷――――共同印刷株式会社

印刷――――株式会社新藤慶昌堂

製本――――牧製本印刷株式会社

Printed in Japan
ISBN978-4-06-525195-9

講談社＋α新書

金正恩の核が北朝鮮を滅ぼす日
牧野愛博
格段に上がった脅威レベル、荒廃する社会。危険過ぎる隣人を裸にする、ソウル支局長の報告
924円 757-1 C

おどろきの金沢
秋元雄史
伝統対現代のバトル、金沢旦那衆の遊びっぷり。よそ者が10年住んでわかった、本当の魅力
946円 758-1 C

「ミヤネ屋」の秘密 大阪発の報道番組が全国人気になった理由
春川正明
なぜ、関西ローカルの報道番組が全国区人気になったのか。その躍進の秘訣を明らかにする
924円 759-1 C

一生モノの英語力を身につけるたったひとつの学習法
澤井康佑
「英語の達人」たちもこの道を通ってきた。読解から作文、会話まで。鉄板の学習法を紹介
924円 760-1 C

茨城 vs. 群馬 北関東死闘編
全国都道府県調査隊 編
都道府県魅力度調査で毎年、熾烈な最下位争いを繰りひろげてきた両者がついに激突する！
858円 761-1 C

ポピュリズムと欧州動乱 フランスはEU崩壊の引き金を引くのか
国末憲人
ポピュリズムの行方とは。反EUとロシアとの連携。ルペンの台頭が示すフランスと欧州の変質
946円 763-1 C

脂肪と疲労をためる ジェットコースター血糖の恐怖 人生が変わる一週間断糖プログラム
麻生れいみ
ねむけ、だるさ、肥満は「血糖値乱高下」が諸悪の根源！　寿命も延びる血糖値ゆるやか食事法
924円 764-1 B

超高齢社会だから急成長する日本経済 ２０３０年にＧＤＰ７００兆円のニッポン
鈴木将之
旅行、グルメ、住宅…新高齢者は１０００兆円の金融資産を遣って逝く↓高齢社会だから成長
924円 765-1 C

歯は治療してはいけない！ **あなたの人生を変える歯の新常識**
田北行宏
歯が健康なら生涯で３０００万円以上得!?　認知症や糖尿病も改善する実践的予防法を伝授！
924円 766-1 B

50歳からは「筋トレ」してはいけない 何歳でも動けるからだをつくる「骨呼吸エクササイズ」
勇﨑賀雄
人のからだの基本は筋肉ではなく骨。日常的に骨を鍛え若々しいからだを保つエクササイズ
968円 767-1 B

定年前にはじめる生前整理 人生後半が変わる4ステップ
古堅純子
「老後でいい！」と思ったら大間違い！　今やると身も心もラクになる正しい生前整理の手順
880円 768-1 C

表示価格はすべて税込価格（税10%）です。価格は変更することがあります